Economica Laterza
207

Michael Walzer

Sulla tolleranza

Traduzione di Rodolfo Rini

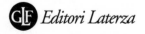

Titolo dell'edizione originale
On Toleration

© 1997 by Yale University

Il volume *On Toleration*
è stato pubblicato in lingua inglese
da Yale University Press,
New Haven and London 1997

Nella «Economica Laterza»
Prima edizione 2000

Edizioni precedenti:
«Sagittari Laterza» 1998

Proprietà letteraria riservata
Gius. Laterza & Figli Spa, Roma-Bari

Finito di stampare nell'ottobre 2000
Poligrafico Dehoniano -
Stabilimento di Bari
per conto della
Gius. Laterza & Figli Spa
CL 20-6121-X
ISBN 88-420-6121-2

alla nuova generazione,
in particolare a Sarah e John,
Rebecca e Keith;
e alla generazione successiva,
in particolare a Joseph e Katya

Premessa all'edizione italiana

«Nessun uomo è un'isola, che basta a se stessa», scrisse il poeta inglese John Donne: e ciò è ancor vero oggi. Difatti nessuna nazione vive isolata dalle altre: la mescolanza di tutte le nostre tribù è il tratto saliente del mondo moderno.

Certo, genti diverse coesistevano anche prima, ma sempre con un qualche grado di separatezza fra loro: villaggi separati, famiglie e diritti di famiglia differenti, tribunali, tradizioni culturali e linguaggi distinti. Oggi siamo spinti gli uni verso gli altri in modi nuovi, sperimentiamo la differenza in prima persona e le vecchie barriere vengono superate sempre più spesso. Comunicazioni di massa, cultura economica, politica democratica, globalizzazione di sport e musica, matrimoni misti: forse tutto questo significa che un giorno ci ritroveremo più uguali; ad ogni modo sino a oggi l'incontro con l'Altro non è mai stato tanto diffuso.

Persino nelle società di immigrati, come gli Stati Uniti, il «multiculturalismo» è un fenomeno relativamente nuovo; vecchi modelli di segregazione, attuata su basi economiche e rispetto al luogo di abitazione, si stanno sgretolando. I gruppi diversi che costituiscono la società americana entrano in attrito fra loro ogni giorno, sprigionando insieme scintille di rabbia e di creatività. Occorre rielaborare le regole della vita quotidiana: ecco il vero fulcro della «political correctness». E se questo è vero per gli Stati Uniti, lo è tanto più per la vecchia Europa, nella quale i cambiamenti prodotti dall'immigrazione e dalle mescolanze etniche giungono ancor più inattesi a sconvolgere una storia costruita fin qui come integrazione delle singole realtà nazionali.

Perciò questo libro, che affronta il vecchio problema della tolleranza, può assumere un nuovo rilievo. Sebbene io scriva a partire dalla mia esperienza americana (e più specificamente di ebreo statunitense), ho cercato di tener conto anche delle peculiarità europee, fino al punto di esprimermi sull'Unione Europea che sta emergendo proprio in questi ultimi tempi.

Non penso che l'Europa sia l'America del futuro; lo scopo di questo mio libro è piuttosto quello di descrivere percorsi *diversi* che consentano alla differenza di coesistere: l'Europa ne avrà uno tutto suo, che troverà sicuramente chi sarà in grado di teorizzarlo anche a livello politico. Tuttavia spero che si presterà attenzione ai modelli non-europei e che saranno tollerati gli autori stranieri, come me.

A dire il vero, già ora sento di beneficiare del multiculturalismo europeo: questa edizione italiana è solo una delle dodici traduzioni in lingue europee, già pubblicate o in via di realizzazione, dal Portogallo all'Estonia. Sono grato a tutti i miei editori, curatori, traduttori, e soprattutto ai lettori, che mi hanno fatto partecipare a un dialogo che è globale ma ha significative ripercussioni anche a livello locale.

Michael Walzer

Luglio 1998

Prefazione*

Al pari di ogni ebreo americano sono cresciuto pensando a me stesso come a un oggetto nei confronti del quale poteva esercitarsi la tolleranza. Solo molto tempo dopo ho incominciato a considerarmi anche un soggetto, cioè un agente tenuto a tollerare gli altri, compresi quegli ebrei che concepiscono l'ebraismo in modo radicalmente diverso dal mio. L'idea che andavo costruendomi degli Stati Uniti, come di un paese in cui ognuno deve tollerare tutti gli altri (per usare una formula che mi riprometto di spiegare in seguito), è stata il punto di partenza di questo saggio. Essa mi ha portato a riflettere sugli aspetti per cui altri paesi sono diversi – e solo in taluni casi intollerabilmente diversi. Non tutto il mondo è America!

* Alcune parti di questo libro hanno visto la luce come testo delle «Castle Lectures», nel quadro del programma di etica, politica ed economia dell'Università di Yale nel 1996. Le «Castle Lectures» sono state finanziate da John K. Castle per onorare la memoria di un suo antenato, il reverendo James Pierpont, uno dei fondatori dell'Università. Onorate dalla partecipazione di figure di grande rilievo, esse mirano a promuovere la riflessione sulle basi morali della società e dello stato, e a migliorare la comprensione delle questioni etiche che gli individui si trovano ad affrontare nella complessa società del nostro tempo.

Tra tollerare ed essere tollerati intercorre all'incirca lo stesso rapporto che c'è in Aristotele tra governare ed essere governati: entrambe le cose sono opera di cittadini democratici. Secondo me, tale opera non è né facile né di poco conto. Spesso la tolleranza viene sottovalutata, quasi fosse il minimo che noi possiamo fare per i nostri simili, il più modesto dei loro diritti. In realtà la tolleranza *come atteggiamento* (*tolerance*) assume molte forme diverse e *come pratica* (*toleration*) può esprimersi in vari modi. Tuttavia anche le sue forme più limitate e le sue espressioni più precarie sono conquiste altamente positive che vanno apprezzate non solo sul piano pratico, ma anche su quello teorico perché sono manifestazioni abbastanza rare nella storia umana. Come per le altre cose che amiamo, dobbiamo chiederci che cosa sia a sostenere la tolleranza e in che modo funzioni: l'obiettivo di questo saggio è proprio di rispondere a questi interrogativi. Per ora voglio solo segnalare come la tolleranza a sua volta sostenga la vita in sé, giacché la persecuzione è spesso causa di morte, come pure l'esistenza quotidiana delle persone e delle comunità in cui viviamo. La tolleranza rende possibile la differenza; la differenza rende necessaria la tolleranza.

Una difesa della tolleranza non deve essere per forza una difesa della differenza. Può essere, e spesso è, soltanto un'argomentazione che fa leva sulla necessità. Dico ciò con grande considerazione per la differenza, anche se non tutte le manifestazioni di differenza meritano uguale considerazione. Nella vita sociale, politica e culturale, preferisco il pluralismo all'unità. Nello stesso tempo riconosco che ogni regime di tolleranza deve essere in qualche misura una realtà singolare e unitaria, capace di guadagnarsi la lealtà dei suoi membri. La coesistenza esige un assetto politicamente stabile e moralmente legittimo – che dev'essere anch'esso oggetto di apprezzamento. In teoria è pensabile che tra i tanti assetti possibili uno sia migliore degli altri, ma personalmente sono portato a dubitarne e nell'Introduzione argomenterò la mia critica a questa tesi. Qui comunque non ho altra pretesa che fornire una descrizione di alcune possibilità di scelta e una difesa di quella che, qui e ora, alla soglia del nuovo millennio, mi pare la migliore per noi americani – quella che meglio esprime, rafforza e promuove il nostro pluralismo.

Ringraziamenti

Questo libro ha una storia complicata. L'abbozzo iniziale è costituito dal testo di una conferenza tenutasi prima a Palermo (con il patrocinio del sindacato UIL), poi a Firenze e di nuovo a un convegno sul nazionalismo organizzato da Robert McKim e Jeff McMahan presso l'Università dell'Illinois (il volume degli Atti è stato pubblicato col titolo *The Morality of Nationalism* dalla Oxford University Press nel 1997). Argomento di questa prima trattazione erano i «cinque regimi di tolleranza». Per un certo periodo ho proposto in varie sedi le mie riflessioni, ricevendo utili commenti e alcune acute critiche da amici e colleghi in Italia, Canada, Inghilterra, Germania, Austria, Paesi Bassi e Stati Uniti. Anche se non sono in grado di fornire l'elenco delle molte persone che, cammin facendo, mi hanno aiutato a riflettere sui problemi della tolleranza, sono grato a tutte quante. Alcune, ma solo alcune, sono state esplicitamente menzionate nelle note.

Successivamente ho incominciato ad ampliare il testo della mia conferenza tenendo conto dei commenti ricevuti e ho scritto un saggio parallelo (che fu pubblicato su «Dissent» nella primavera del 1994 con il titolo *Multicul-*

turalism and Individualism) sul modo in cui la tolleranza «funziona» negli Stati Uniti. Le discussioni che ho avuto con colleghi e ospiti dell'Institute for Advanced Study di Princeton mi hanno indotto a rivedere sia la conferenza che l'articolo. Il Comitato per le «Castle Lectures» mi ha poi offerto la splendida opportunità di fondere insieme i due saggi precedenti e di verificare la coerenza del risultato davanti all'uditorio vivace e attento di Yale. Ian Shapiro ha organizzato la mia visita a New Haven e mi ha aiutato a decidere di pensare a questo libro *come a un libro*. L'ultima serie di commenti e di critiche è quella che mi è stata sottoposta dai lettori della Yale University Press. Tre di essi – Jane Mansbridge, Susan Okin e Bernard Yack – hanno rinunciato a restare anonimi, consentendomi di ringraziarli qui. Molti loro suggerimenti sono stati accolti. Se li avessi seguiti tutti, il libro sarebbe stato senz'altro migliore, ma anche molto più lungo.

Sulla tolleranza

Come scrivere sulla tolleranza

Negli ultimi anni l'argomentazione filosofica ha privilegiato spesso lo stile procedurale: il filosofo immagina di trovarsi in una posizione originaria, o una situazione di dialogo ideale, o ancora una conversazione in una navicella spaziale. Ognuna delle situazioni immaginate è costituita da un insieme di vincoli o, se si preferisce, di regole contrattuali comuni alle parti coinvolte, che poi rappresentano tutti noi: si ragiona, si tratta e si discute all'interno dei vincoli concepiti per imporre i criteri formali di ogni moralità, in particolare l'imparzialità assoluta o qualche suo equivalente funzionale. Se l'imposizione ha successo, le conclusioni raggiunte dalle parti possono plausibilmente considerarsi autorevoli sul piano morale. A questo punto disponiamo di princìpi regolativi per ogni nostro ragionare, trattare e parlare effettivo – ossia per ogni nostra attività politica, sociale ed economica – nella realtà concreta del mondo. Nei limiti del possibile, noi dobbiamo far sì che tali princìpi operino efficacemente nella nostra vita e nella società in cui viviamo[1].

Nelle pagine che seguono, ho adottato un approccio diverso che intendo illustrare e difendere in questa breve introduzione. Non cercherò di mettere a punto un'argomentazione filosofica sistematica, anche se nel complesso del libro tutte le componenti necessarie di tale argomentazione faranno almeno una comparsa: i lettori troveranno di volta in volta indicazioni e ragioni metodologiche generali, ampie illustrazioni con tanto di esempi storici, analisi di problemi pratici e una conclusione provvisoria e incompleta – che è tutto ciò che l'approccio adottato consente. Il tema è la tolleranza o meglio la pacifica coesistenza, resa possibile dalla tolleranza, fra gruppi di persone con storie, culture e identità diverse. Incomincerò col dire che la coesistenza pacifica (ovviamente a certe condizioni: qui non si parla di coesistenza fra padroni e schiavi) è sempre un bene. Non già perché in pratica le persone la apprezzino sempre – spesso, anzi, è vero il contrario. Che si tratti di un bene, lo dimostra il fatto che la gente è fortemente portata a *dire* di apprezzarla: le persone non riescono a giustificarsi né ai propri occhi né agli occhi dei propri simili, se non a condizione di sottoscrivere il valore della coesistenza pacifica, nonché della vita e della libertà che tale valore serve[2]. Questo è un fatto del mondo morale, almeno nel senso limitato che l'onere della prova ricade su coloro che intendono contestare tale posizione. A doversi giustificare è chi opera l'assimilazione forzata e la «pulizia etnica», chi scatena la persecuzione religiosa e le guerre di religione; e queste persone per lo più si giustificano non difendendo ciò che fanno ma negando di farlo.

La coesistenza pacifica, comunque, può assumere forme politiche molto differenti e tali forme hanno implicazioni a loro volta differenti per la vita morale di ogni giorno, cioè per le concrete interazioni e per il reciproco coinvolgimento di uomini e donne. Nessuna di queste forme è universalmente valida. Al di là della tesi minimalistica del valore della pace e delle norme conseguenti di non interferenza (che rientrano quasi sempre nella visione tradizionale dei diritti umani fondamentali), non c'è nessun principio che governi tutti i regimi di tolleranza o che imponga di agire in ogni circostanza, in ogni tempo e in ogni luogo, in vista di un particolare assetto politico o costituzionale. Qui le argomentazioni di tipo procedurale non possono esserci di nessun aiuto proprio perché non risentono delle dimensioni del tempo e dello spazio: non sono contestualizzate. La visione alternativa della tolleranza e della coesistenza che intendo difendere è storica e contestualizzata: tiene conto cioè delle forme che tolleranza e coesistenza hanno assunto di fatto, nonché delle norme che le favoriscono nella vita di ogni giorno. Si tratta di prendere in esame sia le versioni ideali di questi assetti pratici sia le loro distorsioni caratteristiche documentate nella storia. Dovremo, inoltre, valutare in che modo questi assetti sono vissuti dalle diverse componenti della società – siano esse gruppi o individui, beneficiari o vittime di questa organizzazione sociale – e come sono valutati da estranei che sono membri di altri regimi nei quali vige la tolleranza.

Ma un'analisi simile non sarebbe puramente positivistica o, peggio, relativistica? Se non ci sono né punti di vista superiori né autorità riconosciute, come potremo arrivare a un unico metro di valutazione critica? Come catalogare

o classificare i vari regimi? In realtà non è questo il mio
obiettivo e la prospettiva di mancarlo non mi crea nessuna
angoscia. Mi sembra decisamente implausibile classificare
in una graduatoria unica gli assetti politici (siano essi imperi multinazionali e stati nazionali o le loro esemplifica-
zioni storiche, come l'Alessandria dei Tolomei o dei romani, l'impero ottomano, l'Austria-Ungheria degli Asburgo,
l'Italia, la Francia e la Norvegia contemporanee e così via),
quasi che noi potessimo attribuire a ciascuno di essi una
certa dose di valore morale, riassumendola in un voto: sette, diciannove o trentuno e mezzo.

Certamente possiamo dire che un assetto destinato a
degenerare in persecuzione e guerra civile è peggiore di
uno più stabile. Ma non possiamo dire, per esempio, che
un assetto più favorevole alla sopravvivenza dei gruppi
piuttosto che alla libertà degli individui sia necessariamente inferiore a uno che anteponga la libertà alla sopravvivenza del gruppo; i gruppi, infatti, sono composti
da individui, e chiaramente molti individui, potendo scegliere, preferirebbero il primo assetto al secondo. Né possiamo dire, sull'esempio della *Lettera sulla tolleranza* di
Locke, che la neutralità dello stato e l'associazione di volontariato siano il solo modo, o il modo migliore, per affrontare il pluralismo religioso ed etnico. Questo modello
ha rappresentato certamente una soluzione positiva e funzionale all'esperienza delle comunità protestanti presenti
in certi tipi di società; ma occorre dimostrarne la validità
al di là di questa esperienza e di questo contesto sociale,
anziché supporla semplicemente. Ogni attacco radicale al-

la libertà individuale e al diritto di associazione può essere senz'altro prontamente condannato; lo stesso può dirsi delle sfide militari o politiche (ma non di quelle intellettuali) alla sopravvivenza di un gruppo particolare: tutte queste cose, infatti, sono in contrasto con le esigenze minimali della coesistenza. A parte questi tipi di intervento, ogni confronto tra assetti diversi è moralmente e politicamente utile a farci riflettere sulla situazione in cui ci troviamo e sulle possibili alternative, ma non può mettere capo a giudizi dotati di qualche autorità.

Un bilancio critico preciso e circostanziato dei vari regimi di tolleranza, sia nelle loro versioni teoriche ideali che in quelle reali, ha valore proprio in quanto ci induce a quelle riflessioni. I regimi sono realtà politiche o culturali unitarie che presentano, strettamente connessi gli uni agli altri, vantaggi e svantaggi, ma non sono realtà organiche. Non è vero che, in caso di rottura o di nuova sistemazione di qualche loro connessione interna, essi sarebbero condannati a morire dal punto di vista politico. Le riforme non sono sempre frutto di trasformazioni, e anche le trasformazioni possono compiersi gradualmente nel corso di lunghi periodi di tempo. Questi processi hanno certamente caratteristiche di conflittualità e di disordine, mai però di frattura netta o di crollo verticale. Se questa o quella componente di un dato assetto con le modifiche del caso promette di riuscire utile *qui*, noi possiamo operare in vista di una riforma in questo senso, mirando a ciò che, tenuto conto dei gruppi che stimiamo e degli individui che siamo, per noi costituisce l'*optimum*.

Una cosa che non è possibile fare, invece, è identificare tutte le caratteristiche «migliori» di ciascun assetto e combinarle insieme, dando per scontato che esse, in virtù della loro comune positività (del fascino che esercitano su di noi), potranno di fatto fondersi insieme e costituire un'unità funzionale e armoniosa. Almeno in alcuni casi (ma probabilmente càpita abbastanza di frequente), le cose che ammiriamo in un particolare assetto storico sono funzionalmente legate ad altre che, invece, suscitano in noi avversione o paura[3]. Pensare che sia possibile riprodurre o imitare le prime ed evitare le seconde è un esempio di quella che potrebbe chiamarsi «cattiva utopia». Se vuole evitare la cattiva utopia e riconoscere le ardue scelte imposte dalla vita politica, la filosofia deve poter contare su informazione storica e competenza sociologica. Quanto più saranno difficili le scelte da fronteggiare, tanto più sarà improbabile che una, e una sola, soluzione possa vantare una giustificazione filosofica. Forse ci tocca scegliere qui in un modo e là in un altro; in un modo ora e in un altro domani; forse le nostre azioni sono tutte provvisorie e sperimentali, sono sempre passibili di correzioni e perfino di ripensamenti.

L'idea che a ispirare le nostre scelte non sia un unico principio universale (o un unico insieme di princìpi legati tra loro) e l'idea che una scelta giusta da effettuarsi qui non sia necessariamente la scelta giusta anche là, esprimono, a rigore di termini, una posizione relativistica. Un assetto politico è il migliore in relazione alla storia e alla cultura del popolo di cui regola la vita. Questa circostanza mi sembra un'ovvietà. Ma, dicendo questo, non teorizzo un relativismo assoluto, giacché nessun assetto e nessuna sua caratteristica possono costituire un'opzione morale se non a condizione di rendere possibile una qualche versione della coesistenza pacifica (e quindi di tutelare i diritti umani fondamentali). Noi operiamo le nostre scelte all'interno di limiti e io sospetto che alla radice delle divergenze tra i filosofi ci sia non la questione dell'esistenza dei limiti (nessuno li nega sul serio), ma quella di *quanto* essi ci limitino effettivamente. Il modo migliore per valutare tale limitazione è quello di descrivere una gamma di opzioni e di argomentare la plausibilità e i limiti di ognuna di esse all'interno del suo contesto storico. Sui regimi politico-sociali condannati senza appello dalla storia – monolitismi religiosi e totalitarismi – non occorrerà spendere molte parole: basterà citarli rammentando ai lettori la loro realtà storica. Confrontata con questa realtà, la coesistenza pacifica è chiaramente un principio morale importante e sostanziale.

Sostenere che gruppi e/o individui diversi devono poter coesistere pacificamente non è come dire che occorre tollerare ogni differenza reale o possibile. I vari assetti che mi accingo a descrivere di fatto hanno manifestato gradi di tolleranza diversificati rispetto alle pratiche che la maggioranza dei loro cittadini trovava strane o ripugnanti, ma anche, ovviamente, rispetto agli uomini e alle donne che le avevano adottate. I vari assetti politico-sociali quindi possono essere classificati come più o meno tolleranti e perfino rientrare (non senza molti distinguo storici) in una sor-

ta di graduatoria di tolleranza crescente. Appena valute-
remo da vicino alcune delle pratiche in questione, tuttavia,
sarà subito evidente che la nostra non è una graduatoria
morale. La tolleranza di pratiche che creano difficoltà va-
ria a seconda dei regimi, ma in modo alquanto complesso;
e probabilmente altrettanto complessi sono i giudizi su tali
variazioni.

Ebbene, io intendo rappresentare questa complessità
nella rassegna dei vari regimi e dei problemi che tutti si trovano ad affrontare, nonché, successivamente, nelle riflessioni sull'America contemporanea che concludono il libro.
Il dibattito sulle varie forme di coesistenza non è mai stato
vasto e aperto come oggi, giacché mai come in questo momento la gente ha potuto sperimentare tanto ampiamente,
nella vita di ogni giorno, la vicinanza tra differenza e alterità. La televisione e i quotidiani rafforzano l'impressione
che tale esperienza tenda a standardizzarsi sempre di più
in tutto il mondo. Forse, siamo tutti tentati di reagire alla
diversità nello stesso modo. Ma incontri e transazioni, per
quanto molto simili, risultano fatalmente diversificati per
il fatto di coinvolgere gruppi diversi e di essere fatti oggetto di riflessione da parte di uomini e donne con storie e
aspettative diverse. L'esperienza passa sempre, di necessità, attraverso la cultura, e io ho cercato di rispettare la differenza prodotta da tale mediazione. Perciò, quando avan-
zo la proposta su come, secondo me, devono andare le cose, su come si deve costruire la coesistenza pacifica, lo fac-
cio solo in relazione al mio tempo e al luogo in cui vivo, cioè
alla realtà americana. In chiusura del saggio ho fatto posto

a titolo esplorativo e sperimentale al dibattito sul «multi-culturalismo»[4]. Ma sono convinto che si tratti di una discussione che non riveste un significato universale o cosmico-storico e le conclusioni cui sono arrivato non possono avere che un valore euristico in un contesto diverso. Questo particolare contatto con la differenza può insegnare qualcosa a ogni cittadino del mondo d'oggi; questi tuttavia se ne potrà arricchire solo a condizione di venire a contatto con molte altre esperienze.

Un'osservazione conclusiva. La mia familiarità con altre esperienze è limitata al pari di quella di chiunque altro. L'argomentazione condotta in questo saggio trae alimento per lo più da esempi provenienti dall'Europa, dall'America settentrionale e dal Medio Oriente. Per poter dire se, e in che misura, le conclusioni raggiunte valgano anche per la realtà latino-americana, africana e asiatica, dovrò far tesoro dei contributi di altri.

1.
Atteggiamenti personali e assetti politici

Incomincia sempre con una negazione, mi ha detto una volta un mio vecchio insegnante; dì innanzitutto ai tuoi lettori quello che *non* intendi fare: servirà a tranquillizzarli, e il fatto che il tuo progetto appaia loro più modesto li aiuterà ad accettarlo. Ebbene, seguirò il suo suggerimento aprendo il mio saggio sulla tolleranza con un paio di distinzioni negative. Innanzitutto non intendo porre al centro dell'attenzione la tolleranza verso gli anticonformisti o gli eccentrici presenti nella società civile o nello stato. È vero che con ogni probabilità i diritti individuali stanno alla radice di ogni tipo di tolleranza; ma a me tali diritti interessano principalmente quando sono esercitati in comune (all'interno di associazioni di volontariato, di comunità religiose e di associazioni culturali o anche in sede di autogoverno delle comunità) o quando vengono rivendicati dai gruppi per conto dei loro membri. L'individuo eccentrico, data la natura solitaria della sua differenza, è facilmente tollerabile; e nello stesso tempo l'insofferenza e la ripugnanza sociale per l'eccentricità, pur essendo certamente sgradevoli, non sono poi così pericolose. La posta in gioco è molto più alta, invece, quando si tratta di misurarsi con gruppi eccentrici o dissidenti.

Al centro della mia attenzione non porrò neppure la tolleranza politica, che riguarda movimenti e partiti di opposizione. Questi ultimi sono concorrenti nella conquista del potere politico e rappresentano una necessità dei regimi democratici, i quali esigono, letteralmente, che ci siano dei leader alternativi (con programmi alternativi), anche nell'ipotesi in cui questi siano destinati a non vincere mai le elezioni. Essi sono colleghi, un po' come i giocatori della squadra avversaria in una partita di pallacanestro: senza di loro non ci può essere partita, sicché essi hanno il diritto di segnare punti e, se vi riescono, di vincere. I problemi nascono solo nel caso in cui vi siano persone che vogliano disturbare o interrompere la partita, pur invocando nello stesso tempo i diritti dei giocatori e la protezione delle regole. Questi problemi, per quanto spesso di difficile soluzione, non hanno molto a che fare con la tolleranza della differenza, insita nella politica democratica. Essi riguardano invece la tolleranza del disordine (o dei pericoli di disordine), che è tutta un'altra cosa.

Così, vietare a un partito programmaticamente antidemocratico di partecipare a elezioni democratiche significa essere non già intolleranti della differenza, ma semplicemente prudenti. Le questioni di tolleranza, in effetti, emergono di solito molto prima della sfida per il potere, e cioè quando si forma la comunità religiosa o il movimento ideologico, da cui questo partito è nato. A questo stadio i suoi membri semplicemente vivono tra noi, e si differenziano da noi in quanto illiberali o antidemocratici. Noi abbiamo il dovere di tollerare la loro predicazione e le loro pratiche? E se l'abbiamo (come io credo), fino a che punto deve estendersi la nostra tolleranza?

Io mi occupo della tolleranza che ha per oggetto differenze culturali, religiose e di modi di vita – cioè della tolleranza che si esercita quando coloro con cui abbiamo a che fare non sono nostri avversari, non giocano la nostra stessa partita e coltivano o praticano differenze di cui non sussiste alcuna necessità intrinseca. Una molteplicità di gruppi etnici o di comunità religiose non costituisce una necessità neppure per una società liberale, la quale, infatti, può esistere e fiorire anche in una situazione di omogeneità culturale. In opposizione a quest'ultima affermazione, tuttavia, recentemente si è argomentato che l'ideale liberale dell'autonomia individuale può trovare realizzazione soltanto in una società «multiculturale», in cui la presenza di culture diverse consente di effettuare una scelta significativa[1]. In realtà degli individui autonomi possono scegliere anche tra occupazioni e professioni diverse, tra potenziali amici e partner da sposare, tra dottrine, partiti e movimenti politici, tra modelli di vita urbani, rurali e suburbani, tra forme culturali intellettualmente elevate, medie o rozze, e così via. A quanto sembra, non c'è nessuna ragione per cui l'autonomia non possa trovare spazio sufficiente all'interno di un gruppo culturalmente omogeneo.

Né si può dire che un gruppo di questo tipo richieda necessariamente, alla stregua di un partito politico, l'esistenza di altri gruppi analoghi. Dove il pluralismo è un fat-

to sociale, come solitamente è, alcuni gruppi competono
con gli altri cercando adepti o fautori tra le persone poco
o nulla impegnate. Ma il loro obiettivo primario è quello
di accreditare e sostenere un modo di vita tra i loro membri, di riprodurre la propria cultura o la propria fede nelle
generazioni successive. La loro azione si rivolge in prima
istanza all'interno del gruppo stesso di cui fanno parte –
che è esattamente ciò che i partiti politici non possono fare. Nello stesso tempo tali gruppi hanno bisogno di uno
spazio sociale ampio (al di fuori di quello familiare) in cui
possano organizzare le assemblee, le pratiche di culto, le
discussioni, le celebrazioni, l'aiuto reciproco, l'istruzione
e così via.

Ebbene, che cosa significa tollerare gruppi di questo tipo? Come atteggiamento o come orientamento mentale,
la tolleranza può essere descritta in molti modi. Il primo,
che riflette le origini della tolleranza religiosa nel Cinquecento e nel Seicento, la considera semplicemente un'accettazione rassegnata della differenza per amor di pace.
Gli uomini si uccidono l'un l'altro per anni e anni finché
insorge la pietà e la violenza si arresta: a questo punto si
parla di tolleranza[2]. Ma c'è anche un continuum di forme
di accettazione più sostanziali. Un secondo atteggiamento
possibile è quello di passiva, rilassata e benevola indifferenza nei confronti della differenza: «Per fare il mondo ci
vuole di tutto». Una terza posizione è quella che discende
da un tipo di stoicismo morale e consiste nel riconoscere
per ragioni di principio che gli «altri» hanno dei diritti, anche se poi li esercitano in modi che non ci piacciono[3]. Un

quarto atteggiamento esprime apertura agli altri, curiosità, forse perfino rispetto: in una parola, disponibilità ad ascoltarli e a imparare da loro. Nel punto estremo di questo continuum c'è l'approvazione entusiastica della differenza: essa può essere di tipo estetico, quando si crede che la differenza rappresenti sul piano culturale la ricchezza e la varietà delle creature di Dio o del mondo naturale; oppure di tipo funzionale quando, come nell'argomentazione liberale della multiculturalità, si vede nella differenza la condizione necessaria di uno sviluppo pieno e rigoglioso dell'umanità, ciò che offre a uomini e donne una gamma di scelte capace di dar senso alla loro autonomia[4].

Ma forse quest'ultimo atteggiamento esula dal mio tema: come si può dire che io tollero una cosa, se in realtà la sottoscrivo? Se è mio desiderio che gli altri vivano accanto a me all'interno della mia società, io in realtà non li tollero, li sostengo. Ciò non significa, però, che io necessariamente sottoscriva questa o quella versione dell'alterità. Posso benissimo preferirne un'altra, culturalmente o religiosamente più vicina alle mie pratiche e alle mie credenze (ma anche, perché no?, una più lontana ed esotica e quindi meno concorrenziale e minacciosa). In ogni società pluralistica, peraltro, ci saranno sempre persone che, per quanto assolutamente convinte del pluralismo che professano, troveranno alquanto difficile convivere con qualche differenza particolare, sia essa una forma di culto, un ordinamento dell'istituzione familiare, una regola dietetica, una pratica sessuale o un tipo di abbigliamento. Pur sostenendo l'idea della differenza in astratto, tali persone, poste di fronte a precise differenze concrete, si limitano a tollerarle. Tuttavia vengono giustamente considerate tolleranti anche persone che non incontrano tale difficoltà: esse fanno posto senza alcuna fatica a uomini e donne di cui non accettano le credenze né intendono imitare le pratiche; convivono con un'alterità di cui approvano la presenza nel mondo, ma che resta nondimeno un elemento estraneo alla loro esperienza, qualcosa di alieno e stravagante. Tutte le persone che riescono a comportarsi così, indipendentemente dalla loro collocazione sul continuum formato da rassegnazione, indifferenza, accettazione stoica, curiosità ed entusiasmo, io dirò che possiedono la virtù della tolleranza.

Come vedremo, una caratteristica di tutti i regimi che praticano bene la tolleranza è che non dipendono da una forma particolare di questa virtù: cioè, non c'è bisogno che tutti i loro componenti si collochino in un punto particolare del continuum. Di fatto accade che, mentre alcuni regimi riescono meglio nell'intento facendo leva sulla rassegnazione, sull'indifferenza o sullo stoicismo, altri hanno bisogno di stimolare la curiosità o l'entusiasmo; personalmente, però, non credo nella possibilità di identificare tendenze sistematiche lungo queste direttive. Nemmeno la differenza tra regimi più collettivistici e regimi più individualistici trova riscontro negli atteggiamenti particolari che essi richiedono. Ma non è forse vero che la tolleranza è più stabile se le persone hanno raggiunto un punto più avanzato in quel continuum? Non è compito delle scuole pubbliche, per esempio, cercare di promuovere un progresso in questo senso? Di fatto, tutti questi atteggiamenti, se sono radicati a fondo, servono a consolidare la tolleranza. Il miglior programma educativo potrebbe benissimo non comprendere nulla più che una descrizione vivida e precisa della guerra religiosa o etnica. Senza dubbio, però, un modo per migliorare le relazioni personali al di là dei confini culturali potrebbe essere quello di far sì che gli individui vadano oltre quel minimo di tolleranza che certe vivide descrizioni dell'intolleranza mirano a produrre; ma ciò è vero in tutti i regimi. In nessuno di essi il successo politico dipende dalle buone relazioni personali che si hanno. Alla fine, tuttavia, dovrò chiedermi se queste affermazioni valgano anche per l'emergente versione «postmoderna» della tolleranza.

Per ora analizzerò tutti gli assetti sociali mediante i quali noi incorporiamo la differenza, conviviamo con essa e le assegniamo una quota dello spazio sociale; lo farò presentando tali assetti come forme istituzionalizzate di una virtù indifferenziata. Storicamente (in Occidente) sono esistiti cinque diversi assetti politici che hanno favorito la tolleranza, cinque modelli di società tollerante. Non pretendo che il mio elenco sia esaustivo; mi limito a sostenere che esso comprende le possibilità più importanti e interessanti. Ovviamente si possono considerare anche dei regimi misti; ma inizialmente intendo descrivere in termini generali questi cinque, combinando insieme indicazioni storiche e ideal-tipiche. Successivamente esaminerò alcuni regimi misti, indicherò le difficoltà che i vari assetti si sono trovati ad affrontare e infine illustrerò brevemente il mondo sociale e la percezione di sé propri degli uomini e delle donne che oggi praticano la tolleranza (nella misura in cui effettivamente lo fanno, giacché la tolleranza è sempre una conquista precaria). Che cosa facciamo esattamente quando tolleriamo la differenza?

2.
Cinque regimi di tolleranza

Gli imperi multinazionali

Gli assetti sociali più antichi sono quelli dei grandi imperi multinazionali: la Persia, l'Egitto dei Tolomei e Roma. Qui i vari gruppi costituiscono comunità autonome o semi-autonome di natura politica o giuridica non meno che culturale o religiosa, che si autogovernano in una gamma notevolmente ampia delle loro attività. Tali gruppi non hanno altra scelta che di coesistere l'uno con l'altro, poiché le loro interazioni sono governate dai burocrati imperiali sulla base di un codice, come il romano *jus gentium*, concepito proprio per mantenere un minimo di equità, nel senso che questo termine aveva al cuore dell'impero. Di solito, comunque, non è che i burocrati interferiscano con la vita interna delle comunità autonome per amore della equità o di qualche altro obiettivo, almeno finché tutti pagano regolarmente le tasse e regna la pace. Gli imperi multinazionali dell'antichità, quindi, tollerano modi di vita diversi e possono considerarsi regimi in cui vige la tolleranza, indipendentemente dal fatto che i membri delle varie comunità si tollerino fra loro o no.

In un regime imperiale, gli individui, volenti o nolenti, danno prova di tolleranza nelle loro interazioni quotidiane (o nella maggioranza di esse), e forse in alcuni casi imparano ad accettare la differenza, collocandosi a un certo punto del continuum precedentemente descritto. Comunque la sopravvivenza delle varie comunità dipende non già da questa accettazione, ma solo dalla tolleranza ufficiale, che viene sostenuta soprattutto per amor di pace – anche se i singoli funzionari hanno tenuto conto della differenza per i fini più disparati, taluni sono diventati famosi per essersene interessati e altri l'hanno addirittura difesa in maniera entusiastica[1]. Questi burocrati imperiali vengono spesso accusati di seguire la politica del *divide et impera*, ed effettivamente a volte la loro politica è proprio questa. Ma sarà bene ricordare che essi non sono gli artefici delle divisioni che sfruttano, e che forse sono le stesse popolazioni amministrate da loro a voler essere divise e governate, anche solo per amor di pace.

Il regime imperiale è storicamente lo strumento più efficace per assorbire le differenze e facilitare (o, più esattamente, per imporre) la coesistenza pacifica. Ma non è, o almeno non è mai stato, uno strumento liberale o democratico. Qualunque sia la natura delle varie «autonomie», il regime che le incorpora è autocratico. Personalmente non ho nessuna intenzione di idealizzare tale autocrazia; pur di conservare le proprie conquiste, essa può essere brutalmente repressiva: basta vedere come sono andate le cose agli ebrei in esilio a Babilonia, a Cartagine che fu rasa al suolo da Roma, agli aztechi sterminati dagli invasori spagnoli o ai tartari pressoché annientati in Russia. Ma un governo imperiale consolidato molto spesso è tollerante proprio perché autocratico in tutta la sua estensione (è cioè ugualmente lontano da tutti i gruppi sottomessi e quindi non è vincolato dagli interessi o dai pregiudizi di nessuno di essi). I proconsoli di Roma in Egitto e i reggenti inglesi in India, a dispetto dei loro pregiudizi e della corruzione endemica dei loro regimi, probabilmente hanno dato prova di un'imparzialità più elevata di quella che avrebbero mostrato i prìncipi o i tiranni locali, superiore forse anche a quella delle maggioranze locali di oggi.

L'autonomia imperiale tende a chiudere gli individui nelle comunità di appartenenza e quindi in un'unica identità etnica o religiosa. Tollera i gruppi, nonché le loro strutture d'autorità interne e le loro pratiche consuetudinarie, ma non la libera circolazione di uomini e donne (se non in pochi centri cosmopoliti e in alcune capitali). Le comunità incorporate negli imperi non sono associazioni di volontariato; e la storia insegna che esse non coltivano valori liberali. Sebbene i loro confini siano teatro di movimenti di individui (convertiti e apostati, per esempio), le comunità sono per lo più chiuse, in quanto abbracciano una particolare versione dell'ortodossia religiosa e sostengono un particolare modo di vita tradizionale. Se protette dalle forme più severe di persecuzione e lasciate libere di coltivare le proprie attività, le comunità di questo tipo hanno capacità di resistenza straordinarie. Ma possono essere molto severe verso gli individui devianti, in cui sono portate a vedere altrettante minacce alla propria coesione interna e a volte anche alla propria sopravvivenza.

Così i dissidenti e gli eretici isolati, i vagabondi culturali, le coppie miste e i loro figli migreranno verso la capitale dell'impero, la quale probabilmente finirà per diventare un luogo molto tollerante e liberale, il solo posto che possieda uno spazio sociale a misura dell'individuo (basti pensare a Roma, a Baghdad, alla Vienna imperiale o, meglio, a Budapest)[2]. Tutti gli altri, compresi quegli spiriti liberi e quei dissidenti potenziali che non possono muoversi a causa di vincoli economici o di responsabilità familiari, vivranno in quartieri o distretti omogenei, accettando la disciplina della comunità di appartenenza. Qui essi saranno tollerati collettivamente, ma certo, al di là della linea di demarcazione che li separa dagli altri, non avranno vita facile, né potranno considerarsi al sicuro. Essi potranno mescolarsi agevolmente con gli altri solo in spazi neutrali, per esempio al mercato, nei tribunali imperiali e nelle prigioni. Nondimeno questi gruppi vivranno per la maggior parte della loro vita in pace, standosene l'uno accanto all'altro nel rispetto dei confini culturali e geografici.

Un esempio particolarmente utile di ciò che potremmo considerare la versione imperiale del multiculturalismo è quello che ci offre l'antica Alessandria. La città era abitata grosso modo per un terzo da greci, per un terzo da ebrei e per un terzo da egiziani, e negli anni del dominio dei Tolomei, a quanto sembra, queste tre comunità riuscivano a convivere in modo assolutamente pacifico[3]. In seguito, i funzionari dell'impero romano di quando in quando favorirono i loro sudditi greci, forse per ragioni di affinità culturale o anche in considerazione della loro superiore organizzazione politica (solo i greci erano formalmente cittadini romani), e nella città questo allentamento della neutralità imperiale innescò periodi di conflitti sanguinosi. I movimenti messianici presenti tra gli ebrei di Alessandria, in parte anche per reazione all'ostilità dei romani, fecero infine naufragare la coesistenza multiculturale. Ma i secoli di pace attestano molto bene le migliori possibilità del regime imperiale. È interessante osservare che le comunità, pur restando giuridicamente e socialmente distinte, alimentarono una rete di interazioni commerciali e intellettuali molto significativa, da cui ebbe origine, sotto l'influsso dei filosofi greci, la versione ellenistica dell'ebraismo prodotta da autori alessandrini come Filone. Al di fuori del quadro delle istituzioni imperiali un esito simile risulterebbe inimmaginabile.

Il sistema ottomano dei *millet* (termine che significa comunità religiosa) rappresenta un'altra versione del regime di tolleranza imperiale, un assetto più ampiamente sviluppato e durevole[4]. In questo caso le comunità autonome avevano carattere esclusivamente religioso e gli ottomani, in quanto musulmani, non praticavano certo la neutralità religiosa. La religione ufficiale dell'impero era l'Islam, ma alle altre tre comunità religiose – greci ortodossi, armeni ortodossi ed ebrei – era consentito di organizzarsi in maniera autonoma ed erano considerate uguali l'una all'altra, indipendentemente dal loro peso numerico relativo. Nei confronti dei musulmani esse dovevano sottostare alle medesime restrizioni (per esempio, per ciò che riguarda l'abbigliamento, il proselitismo e i matrimoni misti) e poteva-

no esercitare lo stesso controllo legale sui propri membri.
I *millet* di minoranza si distinguevano l'uno dall'altro per
caratteristiche etniche, linguistiche e regionali, e grazie alla loro presenza certe differenze di pratica religiosa veni-
vano incorporate nel sistema. Ai loro membri, però, non
era riconosciuta nessuna libertà di coscienza o di associazione nei confronti della comunità di appartenenza (e
ognuno doveva essere membro di un *millet*). Ai margini,
però, c'era maggiore tolleranza: così nel Cinquecento gli
ottomani riconobbero alla setta ebraica dei caraiti l'indipendenza fiscale, ma non lo status di *millet* in senso pieno. Ancora una volta, in fondo, l'impero riconosceva i
gruppi, non gli individui – ma ciò non impediva che fossero i gruppi stessi a optare per il liberalismo (come fece,
a quanto sembra, un *millet* protestante costituitosi verso
la fine del periodo ottomano).

Oggi tutto questo è finito (l'Unione Sovietica è stata l'ultimo degli imperi): l'autonomia delle istituzioni, l'intangi-
bilità di certi confini interni, le carte di identità con indi-
cazione dell'etnia di appartenenza, le capitali cosmopolite
e le burocrazie onnipresenti. L'autonomia alla fine ha per-
duto gran parte del suo significato (e ciò costituisce, forse,
una ragione del declino dell'impero); la sua portata è stata
drasticamente ridotta dall'affermarsi della concezione moderna della sovranità e da ideologie totalizzanti poco inclini ad accettare le differenze. Ma le differenze etniche e religiose sono sopravvissute e agenzie locali più o meno rap-
presentative, quando avevano radici nel territorio, hanno
conservato alcune funzioni minimali e qualche autorità

simbolica. Dopo la fine degli imperi, tali agenzie sono riuscite a convertire questo loro significato residuo in una specie di macchina statale dominata dall'ideologia nazionalistica e decisa a esercitare un potere sovrano – spesso in opposizione alle minoranze locali consolidate che, dopo essere state i grandi beneficiari del regime imperiale, ne sono diventate anche gli ultimi e più energici difensori.

Naturalmente la sovranità porta con sé anche l'appartenenza alla società internazionale che è la più tollerante di tutte, ma che, fino a poco tempo fa, ha rappresentato un obiettivo tutt'altro che agevole da conseguire. In questo saggio io mi occuperò solo brevemente e incidentalmente della società internazionale. Ma è importante riconoscere che la maggior parte dei gruppi radicati in un certo territorio preferirebbero essere tollerati come stati nazionali distinti (o come distinte repubbliche religiose) con governi, eserciti e confini propri – coesistendo con altri stati nazionali in un rapporto di rispetto reciproco o, almeno, sotto il dominio di un solo insieme di leggi comuni (ancorché raramente applicate).

La società internazionale

Trattare a questo punto la società internazionale rappresenta un'anomalia in quanto ovviamente non si fonda su un regime comune – anzi secondo alcuni non sarebbe neppure un regime in senso proprio, bensì una condizione anarchica e priva di un ordinamento giuridico. Se ciò fosse vero, sarebbe una condizione di tolleranza assoluta in cui tutto va bene e nulla è proibito, al cui interno nessuno avrebbe l'autorità di proibire (o di permettere) alcunché, anche se molti suoi membri desidererebbero farlo. Di fatto la società internazionale non è anarchica; è un regime molto debole, ma come tale è tollerante a dispetto dell'intolleranza di alcuni degli stati che lo compongono. Tutti i gruppi che riescono a fondare stati e tutte le pratiche che essi permettono (all'interno di limiti di cui dirò tra breve) sono tollerati dalla società degli stati. La tolleranza è una caratteristica essenziale della sovranità e una ragione importante della sua desiderabilità.

La sovranità garantisce che nessuno *da questa parte* della frontiera possa interferire con ciò che si fa *dall'altra*. Le persone che stanno dall'altra parte possono essere rassegnate, indifferenti, disinteressate, curiose o entusiaste delle pratiche che hanno luogo da questa parte, e così possono essere poco inclini a interferire. O forse esse accettano la logica reciproca della sovranità: noi ci disinteressiamo delle vostre pratiche, se voi vi disinteressate delle nostre. Quando si vive dalle due parti opposte di una frontiera ben segnata, la massima cui è relativamente facile attenersi è «vivi e lascia vivere». Ma i due gruppi in questione possono essere anche attivamente ostili, desiderosi di denunciare la cultura e i costumi dei loro vicini, senza però essere disposti a pagare i costi dell'interferenza. Data la natura della società internazionale, tali costi sarebbero probabilmente elevati: si tratta di costituire un esercito, di attraversare una frontiera, di uccidere e di essere uccisi.

Diplomatici e statisti adottano di solito il secondo di questi atteggiamenti. Accettano la logica della sovranità,

ma non possono limitarsi a ignorare le persone e le pratiche che trovano intollerabili. Devono scendere a patti con
tiranni e omicidi e, cosa ancora più pertinente al nostro tema, adattarsi agli interessi dei paesi la cui cultura o la cui
religione dominante consenta, per esempio, crudeltà, oppressione, misoginia, razzismo, schiavitù o tortura. Quando i diplomatici stringono la mano ai tiranni o spezzano il
pane insieme a loro, è come se lo facessero con dei guanti:
le azioni che compiono sembrano prive di significato morale. Ma i patti che stringono, un significato morale ce
l'hanno: sono atti di tolleranza. Per amor di pace o nella
convinzione che il cambiamento morale o culturale deve
venire dall'interno, deve essere frutto di un lavoro locale,
essi riconoscono nell'altro paese un membro sovrano della società internazionale. Ne riconoscono l'indipendenza
politica e l'integrità territoriale – due cose che, insieme, costituiscono una versione molto più forte dell'autonomia
delle comunità praticata negli imperi multinazionali.

Gli accordi e i riti della diplomazia ci danno un'idea di
quella che potrebbe chiamarsi la formalità della tolleranza. Essa trova posto, sebbene in maniera meno apparente,
anche nella vita interna di un paese, in cui spesso ci tocca
convivere con gruppi con cui non abbiamo, e non vogliamo avere, relazioni sociali strette. A rendere possibile la
coesistenza lavorano i funzionari dell'amministrazione
pubblica, che sono veri e propri diplomatici interni. Naturalmente essi hanno più potere dei diplomatici veri e
propri e quindi la coesistenza che promuovono è molto

più vincolata di quella degli stati sovrani nella società internazionale.

Ma la sovranità ha anche dei limiti che sono fissati nel modo più chiaro dalla dottrina giuridica dell'intervento umanitario. In via di principio non sono tollerati gli atti e le pratiche che «offendono la coscienza dell'umanità»[5]. Stante la debolezza del regime della società internazionale, tutto ciò in pratica significa solo che ogni stato membro ha il diritto di ricorrere alla forza per bloccare ciò che sta accadendo solo se ciò che sta accadendo è sufficientemente grave. I princìpi dell'indipendenza politica e dell'integrità territoriale non tutelano la barbarie. Ma nessuno è obbligato a usare la forza; la società internazionale non ha agenti con la funzione di reprimere le pratiche intollerabili. L'intervento umanitario è assolutamente volontario anche in presenza di brutalità diffuse e gravissime. I metodi dei khmer rossi in Cambogia, tanto per fare un esempio alquanto facile, erano legalmente e moralmente intollerabili; e poiché i vietnamiti decisero di invadere il paese e di fermarli, di fatto non furono nemmeno tollerati. Ma questa felice coincidenza tra intollerabile e non tollerato di fatto è tutt'altro che frequente. Di solito l'intolleranza umanitaria non basta a neutralizzare i rischi che l'intervento comporta; e non sempre sono disponibili altre ragioni per intervenire – siano esse geopolitiche, economiche o ideologiche.

Ma di limiti alla tolleranza che accompagna la sovranità se ne possono immaginare altri più articolati: certe pratiche intollerabili messe in atto da stati sovrani possono dar luogo all'applicazione di sanzioni economiche da parte di tutti, o solo alcuni degli stati che compongono la società internazionale. Un esempio eloquente, ancorché inusuale, ne è l'embargo parziale nei confronti del Sud Africa che pratica l'apartheid. La condanna collettiva interrompe lo scambio culturale e una propaganda attiva può servire anche gli obiettivi dell'intolleranza umanitaria, sebbene solo raramente sanzioni di questo tipo si rivelino efficaci[6]. Possiamo dire quindi che la società internazionale è tollerante in via di principio, e che, al di là dei suoi princìpi, è ancora più tollerante a causa della debolezza del suo regime.

Le confederazioni

Prima di prendere in esame lo stato nazionale come esempio di possibile società tollerante, mi occuperò brevemente di un erede moralmente più diretto ma politicamente meno probabile dell'impero multinazionale, e cioè dello stato confederale o, se si preferisce, binazionale o trinazionale[7]. Stati come il Belgio, la Svizzera, Cipro, il Libano e la neonata Bosnia suggeriscono insieme la notevole ampiezza della gamma di possibilità e l'idea di un disastro imminente. Il federalismo è un programma eroico, giacché mira a mantenere la coesistenza di tipo imperiale senza i relativi burocrati e senza la distanza che ne ha fatto degli amministratori più o meno imparziali. Qui non c'è più un unico potere trascendente che tollera i vari gruppi; al contrario, i gruppi devono tollerarsi reciprocamente e concordare tra loro i termini della loro coesistenza.

L'idea è attraente: due o tre comunità (ma in pratica i loro leader e le loro élite) si confrontano liberamente tra loro e finiscono per mettere a punto un patto semplice e non mediato. Esse concordano un assetto costituzionale, progettano delle istituzioni, si dividono le cariche e stringono un patto politico concepito per tutelare i loro interessi divergenti. Ma la confederazione non è una costruzione interamente libera. Di solito, quando danno inizio alle negoziazioni formali, le comunità hanno già vissuto insieme (o meglio parallelamente) per un periodo molto lungo. A volte vengono da una situazione di comune sudditanza nei confronti di uno stesso governo imperiale; a volte il loro avvicinamento è avvenuto nel corso di una lotta comune contro quel governo. Ma il legame più importante che le unisce è la prossimità, ossia il fatto di vivere sulla stessa terra, se non addirittura negli stessi villaggi, o anche lungo una frontiera definita in modo approssimativo e facile da attraversare. Si tratta di gruppi che hanno parlato e commerciato tra di loro, che si sono combattuti e rappacificati per questioni di ambito più locale – ma sempre tenendo d'occhio la politica o l'esercito di qualche sovrano straniero. Ora devono controllarsi solo l'un l'altro.

Tutto ciò non è impossibile. La riuscita del processo è più probabile quando l'aggregazione confederativa riesce ad anticipare la comparsa di forti movimenti nazionalistici e la mobilitazione ideologica delle varie comunità. I migliori negoziatori di questi accordi sono le élite delle vecchie «autonomie», che spesso sono autenticamente rispettose l'una dell'altra, hanno un interesse comune per la stabilità e per la pace (nonché, ovviamente, per la perpetuazione del potere delle élite stesse) e sono interessate ad amministrare in comune il potere politico. Ma gli assetti da esse elaborati (assetti che riflettono dimensioni e forza economica delle comunità associate) dipenderanno in seguito dalla stabilità della loro base sociale. La confederazione si regge, in un certo senso, sul predominio (temperato da leggi e istituzioni) di una delle comunità sulle altre, oppure sul fatto che esse sono più o meno tutte alla pari. Si ripartiscono le cariche, si stabiliscono le quote per gli impieghi pubblici e si procede all'allocazione delle risorse – il tutto, come si è detto, in un quadro o di prevalenza di un gruppo (sia pure regolamentata a livello costituzionale) o di approssimativa uguaglianza tra i gruppi. Sulla base di queste intese, ogni comunità vive in uno stato di relativa sicurezza, nel rispetto dei propri costumi e magari anche secondo il proprio diritto consuetudinario, e può parlare la propria lingua non solo in casa, ma anche nel suo spazio pubblico. Le antiche forme di vita continuano indisturbate.

A spezzare le confederazioni è la paura degli sconvolgimenti. Cambiamenti sociali o demografici, ad esempio, possono scuotere le fondamenta della società, alterare l'equilibrio delle forze e delle dimensioni relative, minacciare il modello consolidato di predominio o di uguaglianza, minare le vecchie intese. Improvvisamente una delle parti appare pericolosa a tutte le altre. La tolleranza reciproca dipende dalla fiducia non tanto nella buona volontà delle persone quanto nella capacità degli assetti istituzionali di neutralizzare gli effetti della cattiva volontà. A questo punto crollano gli assetti consolidati e l'insicurezza che ne deriva rende impossibile la tolleranza. Non posso essere tollerante se chi vive accanto a me è pericoloso. Qual è il pericolo che suscita i miei timori? Il fatto che la confederazione si trasformi in uno stato nazionale qualunque in cui sarò destinato a far parte della minoranza – sicché dovrò sperare di essere tollerato dai miei associati di un tempo, anche se questi non avranno più bisogno della mia tolleranza.

Il Libano è l'ovvia esemplificazione di questo infausto collasso di precedenti intese federative: dietro la mia breve descrizione di questo processo c'è la sua storia. Ma in Libano si è verificato qualcosa di più di un cambiamento sociale. All'inizio, la nuova realtà demografica ed economica del paese avrebbe dovuto innescare una rinegoziazione dei vecchi accordi, una pura e semplice suddivisione delle cariche e delle risorse pubbliche. Ma le trasformazioni ideologiche prodotte dal cambiamento sociale hanno reso questa strada pressoché impercorribile. La passione nazionalistica e religiosa, insieme alle sue inevitabili conseguenze di sfiducia e di paura, hanno trasformato quelle speranze iniziali in guerra civile (oltre a far sì che i siriani entrassero in scena come pacificatori imperiali).

In questo quadro, il federalismo è chiaramente riconoscibile come un regime pre-ideologico. La tolleranza non è impossibile quando entrano in gioco nazionalismo e religione, e la confederazione può continuare a essere la sua forma preferita dal punto di vista etico. In pratica, però, il regime di tolleranza oggi più probabile sembra essere quello dello stato nazionale: qui ai due o tre gruppi, ognuno sicuro della propria collocazione e tollerante verso gli altri, subentra un gruppo unico che prevale in tutto il paese, plasma la vita pubblica e tollera una minoranza nazionale o religiosa.

Gli stati nazionali

Nella stragrande maggioranza dei casi le unità politiche che costituiscono la società internazionale sono stati nazionali. Questa espressione non vuole indicare popolazioni omogenee dal punto di vista della nazionalità (o dell'etnia o della religione). Nel mondo attuale l'omogeneità è rara, se non inesistente. Intendo dire che in questo caso a organizzare la vita comune è un gruppo dominante unico e tale gruppo lo fa in un modo che riflette la sua storia e la sua cultura; se tutto procede secondo le previsioni, esso promuove tale storia e sostiene tale cultura. Queste intenzioni determinano le caratteristiche dell'istruzione pubblica, i simboli e le cerimonie della vita pubblica, il calendario ufficiale e le festività che esso prevede. Lo stato nazionale non è affatto neutrale nei confronti della molteplicità delle storie e delle culture. Il suo apparato politico è un motore della riproduzione nazionale. I gruppi nazionali mirano a costituirsi in stato proprio per controllare i mezzi di riproduzione. I loro membri possono coltivare speranze molto più elevate e nutrire altre ambizioni, dall'espansione e dal dominio politico alla crescita economica e alla prosperità interna; ma l'impresa in cui si cimentano trova la propria giustificazione nella aspirazione, propria dell'uomo, a perpetuare se stesso nel corso del tempo.

Gli stati che essi creano possono nondimeno tollerare le minoranze, come fanno comunemente gli stati nazionali liberali e democratici. Questa tolleranza assume forme diverse, sebbene raramente giunge fino alla piena autonomia degli antichi imperi. Difficoltà tutte particolari presenta la realizzazione dell'autonomia regionale, giacché essa comporta che i membri della nazione dominante residenti nella regione debbano sottostare a un governo «estraneo» nel loro stesso paese. Nemmeno assetti di tipo corporativo sono molto comuni: lo stato nazionale è in se stesso una specie di corporazione culturale e al proprio interno pretende di avere il monopolio su tali assetti.

Di solito negli stati nazionali la tolleranza ha come punto di riferimento non i gruppi ma gli individui che li compongono e che generalmente vengono concepiti, in modo stereotipato, prima come cittadini e poi come membri di questa o di quella minoranza. Come cittadini, essi hanno gli stessi diritti e gli stessi doveri di tutti gli altri, e da loro ci si aspetta che si impegnino positivamente nella politica culturale della maggioranza; come membri di un gruppo specifico, ne condividono le caratteristiche standard e possono costituire associazioni di volontariato, società di mutuo soccorso, scuole private, organizzazioni culturali, case editrici e così via. Non è invece consentito loro di organizzare e di esercitare autonomamente la giurisdizione legale sui membri del gruppo. Religione, cultura e storia relative alle minoranze rientrano in quello che potrebbe chiamarsi il collettivo privato, verso il quale il collettivo pubblico, ossia lo stato nazionale, nutre sempre dei sospetti. Ogni pretesa di esibire pubblicamente la cultura di una minoranza è destinata a mettere in ansia la maggioranza (è per questo che in Francia è nata la controversia sull'uso di indossare il copricapo islamico nelle scuole di stato). In via di principio non c'è alcuna coercizione sugli individui, ma una certa pressione per assimilarli alla nazione dominante, almeno per ciò che concerne le pratiche pubbliche, è sempre stata abbastanza comune e, fino a poco tempo fa, alquanto efficace. Il modo che avevano gli ebrei tedeschi nell'Ottocento di parlare di sé, cioè «tedeschi per strada, ebrei in casa propria», rivela quanto tenessero a far valere nello stato nazionale una norma che imponesse la tolleranza nella *privacy*[8].

La politica della lingua è un terreno cruciale in cui questa norma viene nello stesso tempo applicata e contestata. Per molte nazioni la lingua è la chiave per raggiungere l'unificazione: esse si sono formate in parte in virtù di un processo di uniformazione linguistica, nel corso del quale i dialetti regionali sono stati costretti a cedere il passo al dialetto del centro – anche se a volte uno o due sono riusciti a resistere, diventando così le bandiere della resistenza subnazionale o protonazionale. Alla fine ne risulta una forte riluttanza a tollerare altre lingue in qualsiasi ambito che vada oltre la comunicazione familiare e il culto religioso. La nazione maggioritaria quindi insiste di solito perché le minoranze nazionali apprendano e usino la sua lingua in tutte le loro transazioni pubbliche: quando votano, quando entrano in un tribunale, quando registrano un contratto e così via.

Le minoranze, se sono sufficientemente forti e in special modo se hanno una base territoriale, cercheranno di legittimare la propria lingua nelle scuole statali, nei documenti legali e nella segnaletica pubblica. A volte una delle lingue di minoranza viene riconosciuta di fatto come seconda lingua ufficiale; più spesso viene usata soltanto in famiglia, in chiesa e nelle scuole private (oppure dolorosamente e lentamente va perduta). Nello stesso tempo la nazione dominante assiste alla trasformazione della propria lingua per effetto dell'uso che ne fa la minoranza. Le accademie dei linguisti lottano per difendere una versione «pura» della lingua nazionale, o ciò che considerano tale, ma i loro connazionali il più delle volte sono sorprendentemente pronti ad accettare gli usi linguistici della minoranza o quelli di origine straniera. Anche questo fenomeno, secondo me, rappresenta un test di tolleranza.

Negli stati nazionali, anche in quelli liberali, le differenze hanno vita meno facile che negli imperi e nelle confederazioni internazionali – e ancor meno facile, ma questo è ovvio, che nella società internazionale. Poiché i membri tollerati del gruppo di minoranza sono anch'essi cittadini, con diritti e doveri, probabilmente le pratiche del gruppo soggiacciono al giudizio della maggioranza più che negli imperi multinazionali. Pratiche di discriminazione e di dominio lungamente accettate (o comunque non osteggiate) all'interno del gruppo possono risultare non più accettabili una volta concessa la cittadinanza ai suoi membri (ne esaminerò qualche esempio nel capitolo 4). Ma qui c'è un doppio effetto con cui qualsiasi teoria della tolleranza deve fare i conti: sebbene lo stato nazionale è meno tollerante verso i gruppi, esso è anche capace di costringere i gruppi stessi a essere più tolleranti verso gli individui. Questo secondo effetto è una conseguenza della trasformazione (parziale e incompleta) dei gruppi in associazioni di volontariato. Con l'indebolirsi dei controlli interni, le minoranze possono conservare i propri membri solo se le loro dottrine sono convincenti, la loro cultura attraente, le loro organizzazioni funzionali ai bisogni degli individui, e il loro senso di appartenenza liberale e longanime. Esiste, in effetti, una strategia alternativa, quella di una chiusura rigidamente settaria che, però, offre solamente la speranza di salvare un piccolo drappello di strenui seguaci. Se si aspira a dimensioni più consistenti, occorre adottare forme di aggregazione più aperte e meno vincolanti. Queste ultime, però, prestano tutte il fianco al pericolo di aprire la strada al lento scomparire della specificità del gruppo e del suo modo di vita.

A dispetto di queste difficoltà, numerose differenze significative, specialmente religiose sono riuscite a mantenersi negli stati nazionali liberali e democratici. Di fatto, spesso le minoranze riescono a esprimere e a riprodurre una cultura comune proprio perché devono far fronte alla pressione della maggioranza nazionale. Esse si organizzano socialmente e psicologicamente in vista della resistenza e trasformano la famiglia, il vicinato, la chiesa e le associazioni in una specie di suolo patrio che intendono difendere con energia. Gli individui, com'è naturale, a volte perdono i contatti con il gruppo, si fanno passare per membri della maggioranza, ne assimilano lentamente gli stili di vita, oppure celebrano matrimoni misti e allevano figli che non conoscono la cultura di minoranza o non ne ricordano nulla. Ma per la maggior parte dei membri del gruppo queste autotrasformazioni sono troppo difficili, dolorose, umilianti: quindi essi rimarranno strettamente legati alle proprie identità di origine e a quegli uomini e donne che, analogamente, preferiscono identificarvisi.

I gruppi più esposti ai rischi sono le minoranze nazionali (non quelle religiose). Se tali gruppi vivranno concentrati in un territorio, come per esempio gli ungheresi in Romania, saranno sospettati, magari giustamente, di aspirare a costituire uno stato proprio o di voler essere incorporati in uno stato confinante in cui la loro etnia detiene il potere. I processi arbitrari di formazione dello stato producono regolarmente minoranze di questo tipo, gruppi difficilmente tollerabili proprio in virtù dei sospetti che aleggiano su di loro. Forse la soluzione migliore è quella di spingerli verso i confini e lasciarli andare, oppure di riconoscere loro piena autonomia[9]. Si tratta di impegnare il nostro stato a tollerarli, dando loro la possibilità di vivere in uno spazio sociale adatto ai loro bisogni. Ma naturalmente sono più probabili soluzioni alternative: di solito si preferisce optare per un riconoscimento della loro lingua e per l'attribuzione di un limitato decentramento amministrativo, anche se a queste misure spesso si affianca lo sforzo di collocare membri della maggioranza nelle regioni di confine politicamente problematiche o, di quando in quando, di dar vita a una campagna di assimilazione.

Dopo la prima guerra mondiale si fecero sforzi notevoli perché le minoranze nazionali fossero tollerate nei nuovi (e radicalmente eterogenei) «stati nazionali» dell'Europa orientale. Garante di questa politica fu la Società delle Nazioni e le misure adottate furono inserite in tutta una serie di trattati a favore delle minoranze e in difesa delle nazionalità. Opportunamente tali trattati attribuivano dei diritti a individui «tipici» anziché a gruppi. Così il Trattato relativo alle minoranze polacche si occupa dei «membri della nazione polacca appartenenti a minoranze razziali, religiose o linguistiche». Tuttavia un'affermazione di questo genere non comporta nulla riguardo all'autonomia dei gruppi, al decentramento regionale o al controllo delle scuole da parte delle minoranze. E la stessa garanzia dei diritti individuali si rivelò una chimera: per lo più i nuovi stati affermarono la propria sovranità ignorando (o annullando) i trattati, e la Società delle Nazioni non riuscì a farli rispettare.

Ma questo sforzo, per quanto fallito, merita senz'altro di venir ripetuto, forse con un riconoscimento più esplicito di ciò che il membro «tipico» di una minoranza ha in comune con gli altri. La Convenzione delle Nazioni Unite sui Diritti civili e politici (1966) compie un altro passo avanti affermando che ai membri delle minoranze, «in comunione con gli altri membri del proprio gruppo, non potrà essere negato il diritto di godere della propria cultura, di possedere e di praticare la propria religione e di usare la pro-

pria lingua»[10]. Si noterà comunque che anche questa formulazione rientra nelle norme prescritte dallo stato nazionale, senza riconoscere nel gruppo un corpo collettivo: gli
individui operano «in comunione con gli altri membri del
gruppo». Solo la maggioranza nazionale agisce come comunità.

In tempo di guerra, la lealtà delle minoranze nazionali
(siano esse concentrate in un territorio o riconosciute sul
piano internazionale) verso gli stati nazionali verrà ben presto messa in dubbio – e ciò anche contro ogni evidenza,
come nel caso dei tedeschi antinazisti rifugiatisi in Francia
all'inizio della seconda guerra mondiale. Ancora una volta, quando gli altri appaiono pericolosi o quando demagoghi nazionalisti riescono a farli apparire tali, la tolleranza
viene meno. Lo dimostrerà di lì a qualche anno anche il destino dei nippo-americani nel momento in cui gli americani si atteggeranno, se così si può dire, a stato nazionale convenzionale. In realtà in America i giapponesi non erano, e
non sono, una minoranza nazionale, o almeno non lo sono
nel senso corrente del termine: dove sarebbe la nazione di
maggioranza? Le maggioranze americane hanno carattere
temporaneo e sono variamente assortite a seconda degli
scopi e degli obiettivi (spesso anche le minoranze sono
temporanee, ma razza e schiavitù, insieme, come vedremo
in seguito, fanno eccezione). Caratteristica cruciale dello
stato nazionale, invece, è che la sua maggioranza è permanente. Negli stati nazionali la tolleranza ha soltanto una
fonte e si sviluppa, o non si sviluppa, in un'unica direzione. Il caso degli Stati Uniti suggerisce una serie di assetti
molto diversi tra loro.

Le società di immigrati

Il quinto modello di coesistenza e di possibile tolleranza è costituito dalla società di immigrati[11]. Qui membri di gruppi diversi si sono lasciati dietro le spalle la propria base territoriale, la propria patria, e sono giunti da soli o con la propria famiglia, uno dopo l'altro, in una nuova terra nella quale si sono dispersi. Pur arrivando a ondate, in risposta a pressioni politiche ed economiche analoghe, non giungono in gruppi organizzati. Non sono coloni che progettino consapevolmente di trapiantare in una nuova sede la propria cultura di origine. Si aggregano per comodità solo in gruppi relativamente piccoli, sempre mescolati con altri analoghi, all'interno di città, stati o regioni. Per loro quindi non è possibile nessuna autonomia territoriale. (Il Canada è una società di immigrati, ma il Québec è evidentemente un'eccezione: i suoi primi abitatori lo raggiunsero come coloni, non come immigrati, e in seguito furono conquistati dagli inglesi. Un'altra eccezione è costituita dai popoli indigeni, che furono anch'essi conquistati. Qui, però, io mi occuperò in primo luogo degli immigrati. Sugli abitanti del Québec e sugli indigeni, cfr. *infra*, cap. 3, par. «Canada»; sui neri d'America importati come schiavi, cfr. *infra*, cap. 4, par. «Classe».)

Se vogliono evitare di scomparire, i gruppi etnici e religiosi oggi devono sostenere se stessi su base esclusivamente volontaria. Ciò significa che per loro i pericoli maggiori vengono non dall'intolleranza degli altri, ma dall'indifferenza dei loro stessi membri. Lo stato, una volta che si sia liberato dalla tutela dei primi immigrati, che in ogni caso vedevano in se stessi i fondatori di uno stato nazionale proprio, non è più ostaggio di nessuno dei gruppi che lo compongono. Sostiene la lingua dei primi immigrati e, sebbene con alcuni distinguo importanti, anche la loro cultura politica; ma quando sono in gioco interessi concreti, adotta (in via di principio) quella che oggi verrebbe chiamata una politica di neutralità e di tolleranza verso i gruppi, nonché di autonomia nella determinazione dei propri obiettivi.

Lo stato rivendica diritti giurisdizionali esclusivi, considerando tutti i propri cittadini come individui e non come membri di gruppi. In senso stretto, quindi, oggetto di tolleranza sono le scelte e i comportamenti degli individui, ovvero gli atti di adesione e di partecipazione ai riti di appartenenza e di culto, le espressioni della propria differenza culturale e così via. I singoli, uomini e donne, sono incoraggiati a tollerarsi a vicenda come individui e a vedere sempre nelle differenze che li separano una versione personalizzata (e non «tipica») della cultura di gruppo – ciò significa, tra l'altro, che i membri di ogni gruppo, se vogliono dimostrare di possedere la virtù della tolleranza, devono accettare ciascuno le versioni di se stessi che forniscono i membri degli altri gruppi. Ben presto la cultura di ogni gruppo si articolerà in una molteplicità di forme e gradi di adesione. Così la tolleranza assume una forma radicalmente decentrata: ognuno deve tollerare tutti gli altri.

In una società di immigrati a nessun gruppo è consentito di organizzarsi in modo coercitivo, di assumere il controllo dello spazio pubblico e di monopolizzare le risorse

collettive. Ogni forma di corporativismo è esclusa. In via
di principio le scuole pubbliche insegnano la storia e i
valori civici dello stato, concepito come depositario di
un'identità non nazionale, ma solo politica. Naturalmente
questo principio viene attuato solo lentamente e in modo
imperfetto. Negli Stati Uniti, per esempio, le scuole pubbliche, da quando sono state fondate, per lo più hanno insegnato quella che gli anglo-americani consideravano la loro storia e la loro cultura – le cui radici si estendono alla
Grecia e a Roma e comprendono le lingue e le letterature
classiche. Tale impostazione tradizionale del corso di studi ha sempre avuto molte giustificazioni e le conserva tuttora, anche dopo le ondate migratorie verificatesi a metà
Ottocento (quando arrivarono tedeschi e irlandesi), e a ca-
vallo tra i due secoli (quando a innescare il processo mi-
gratorio furono i paesi dell'Europa meridionale e orientale): infatti esso costituisce lo sfondo più utile alla comprensione delle istituzioni politiche americane. In epoca
più recente (mentre era in corso una terza grande ondata
migratoria, di origine soprattutto extra-europea) si è cercato di incorporare la storia e la cultura di tutti i vari gruppi nell'intento di assicurare loro una sorta di riconoscimento ugualitario e quindi di creare scuole «multiculturali». In realtà, però, il corso di studi continua a rimanere im-
prontato quasi ovunque al modello occidentale.

Inoltre è anche opinione comune che lo stato debba essere perfettamente indifferente alla cultura dei vari gruppi
o che debba valorizzarli tutti in ugual misura, per esempio
incoraggiando una religiosità generica, come avvenne ne-

gli anni Cinquanta quando su treni e autobus comparvero manifesti pubblicitari che invitavano gli americani a frequentare «la loro chiesa». Come lascia intendere questo invito, la neutralità è sempre questione di grado. In realtà alcuni gruppi sono inevitabilmente favoriti rispetto agli altri – in questo caso quelli che hanno delle «chiese» (cioè i primi immigrati protestanti) – ma gli altri sono ancora tollerati. Né si può dire che andare in chiesa o qualche altra pratica culturalmente specifica sia stata trasformata in condizione di cittadinanza. Così diventa relativamente facile e niente affatto umiliante sottrarsi al proprio gruppo e assumere l'identità politica prevalente (in questo caso la qualifica di «americano»).

Ma in una società di immigrati molti preferiscono optare per un'identità composta o duale, differenziata in virtù delle sue componenti culturali o politiche. Il trattino presente nell'etichetta «italo-americano», per esempio, simboleggia l'accettazione dell'«italianità» da parte degli altri americani, il riconoscimento del fatto che la qualifica di «americano» è un'identità politica priva di pretese culturali specifiche o forti. La conseguenza, naturalmente, è che «italiano» rappresenta un'identità culturale priva di valenze politiche. Questa è la sola forma in cui l'italianità viene tollerata; gli italo-americani, quindi, se oppure nella misura in cui possono farlo, devono sostenere la propria cultura privatamente, con i contributi e lo sforzo profusi volontariamente da uomini e donne che si impegnano in questa causa. In via di principio, ciò è vero di ogni gruppo culturale e religioso, non solo delle minoranze (ma, di nuovo, una maggioranza permanente non esiste).

Non è ancora del tutto chiaro se i gruppi siano in grado di mantenersi in queste condizioni, e cioè senza autonomia, senza poter contare sul potere dello stato o su un riconoscimento ufficiale, senza una base territoriale e senza la stabile opposizione di una maggioranza permanente. Fino a ora le comunità religiose degli Stati Uniti, sia quelle che si sono erette a «chiese» sia quelle che hanno preferito la forma di setta, hanno ottenuto risultati tutt'altro che negativi. Ma una ragione del loro relativo successo potrebbe risiedere nella notevole dose di intolleranza che molte di esse di fatto hanno dovuto fronteggiare: come ho già detto, l'intolleranza esercita spesso sul gruppo degli effetti di coesione o di supporto. Minor fortuna hanno avuto i gruppi etnici, anche se gli osservatori impazienti di decretare la loro fine quasi certamente farebbero bene a evitare giudizi affrettati. Questi gruppi sopravvivono in quella che potremmo concepire come una versione doppiamente composita: quando si afferma che la cultura di un gruppo è americano-italiana, per esempio, si vuol dire che essa ha assunto una forma pesantemente americanizzata e si è trasfigurata in qualcosa di nettamente distinto dalla cultura italiana originaria; e la sua politica sarà italo-americana, cioè una rielaborazione su base etnica di pratiche e stili politici locali. Basti considerare in che misura John Kennedy sia rimasto un «politico» irlandese, Walter Mondale un socialdemocratico norvegese, Mario Cuomo un intellettuale democratico-cristiano italiano impegnato in politica e Jesse Jackson un predicatore battista di colore. Tutte queste caratterizzazioni ci dicono che ognuno di essi, pur ricordando da vicino il tipo tradizionale anglo-americano, nello stesso tempo se ne distacca in un modo che gli è peculiare[12].

Non possiamo sapere se queste differenze sono destinate a sopravvivere nella prossima generazione o in quella successiva. Una sopravvivenza pura e semplice forse è improbabile, ma ciò non significa che i successori di queste quattro figure esemplari, e di molti altri personaggi analoghi, saranno esattamente come loro. Le differenze caratteristiche delle società di immigrati stanno ancora emergendo e oggi noi non siamo in grado di prevedere quale consistenza assumeranno. Il rispetto delle scelte individuali e delle versioni personalizzate della cultura e della religione costituisce il regime di tolleranza più elevato (o più completo). Ma nessuno è in grado di stabilire se l'effetto a lungo termine di questo massimalismo sarà quello di promuovere o di dissolvere la vita dei gruppi.

Il timore che molto presto oggetto di tolleranza saranno solo gli individui eccentrici sta spingendo alcuni gruppi (o i loro membri più impegnati) a chiedere un sostegno positivo allo stato, per esempio sotto forma di sovvenzioni e di finanziamenti integrativi per le loro scuole e le loro associazioni di mutuo soccorso. Secondo la logica del multiculturalismo, i sussidi dello stato, ammesso che si decida di erogarli, devono andare in parti uguali a tutti i gruppi sociali. In pratica, però, alcuni gruppi hanno in partenza più risorse di altri e quindi sono maggiormente in grado di far tesoro delle opportunità offerte dallo stato. Così la società civile ha un'organizzazione non ugualitaria: gruppi forti e gruppi deboli operano a favore dei propri membri con probabilità di successo molto diverse tra loro. Qualora intendesse perseguire una politica di livellamento dei gruppi, lo stato dovrebbe mettere mano a un'opera immane di redistribuzione delle risorse e destinare a essa una quantità enorme di denaro pubblico. La tolleranza, almeno potenzialmente, ha una portata infinita; ma lo stato può tutelare la vita dei gruppi solo all'interno di alcuni limiti politici e finanziari.

Sintesi conclusiva

Può essere utile elencare qui gli oggetti successivi della tolleranza all'interno dei cinque regimi (anche se con questo non intendo dire né che tali regimi rientrino in una linea di progresso né che l'ordine in cui li ho presentati abbia carattere cronologico). Nell'impero multinazionale, come nella società internazionale, a essere tollerato è il gruppo, indipendentemente dal fatto che il suo status sia quello della comunità autonoma o dello stato sovrano. Le sue leggi, le sue pratiche religiose, le sue procedure giudiziarie, le sue politiche fiscali e distributive, i suoi programmi educativi e i suoi assetti familiari sono considerati in ogni caso legittimi o leciti, alla sola condizione di rispettare alcuni limiti molto blandi che raramente vengono applicati (o sono applicabili) con rigore. Analogo è il caso della confederazione, anche se questa contiene un tratto aggiuntivo: una cittadinanza comune più efficace di quella presente nella grande maggioranza degli imperi, una cittadinanza che, se non altro, apre la possibilità di un'interferenza da parte dello stato con le pratiche di gruppo a tutela dei diritti individuali. Questa possibilità trova piena attuazione nelle confederazioni democratiche (per esempio in Svizzera), mentre dà risultati molto più precari nei molti altri casi in cui la democrazia è debole o in quelli in cui lo stato centrale esiste solo in virtù dell'acquiescenza dei gruppi confederati e si concentra soprattutto sullo sforzo di tenerli uniti.

Più significativa è la cittadinanza di uno stato nazionale. Qui oggetto della tolleranza sono gli individui considerati sia come cittadini che come membri di una minoranza particolare. Essi vi vengono tollerati, per così dire, con il loro nome generico. Ma l'appartenenza a gruppi particolari (diversamente dal titolo generico di cittadini dello stato) non è necessaria a tali individui: i gruppi non esercitano su di loro nessuna autorità coercitiva e lo stato interviene in modo energico per proteggerli da ogni tentativo in questo senso. Questa situazione schiude nuove possibilità: di blanda affiliazione al gruppo, di indipendenza da ogni gruppo o di assimilazione alla maggioranza. Nelle società di immigrati queste possibilità aumentano ulteriormente. Gli individui vi sono tollerati specificamente come individui, con i loro nomi propri, e le loro scelte vengono intese in termini personali anziché «tipici». Qui nascono versioni personalizzate della vita di gruppo, molti modi diversi di essere questo o quello, che gli altri membri del gruppo devono tollerare se non altro perché sono tollerati dalla società nel suo complesso. L'ortodossia fondamentalista si distingue per il suo rifiuto di vedere in questa tolleranza generale una ragione a favore di una concezione più aperta della propria cultura religiosa. A volte i suoi protagonisti assumono un atteggiamento di opposizione globale al regime di tolleranza proprio delle società di immigrati.

3.
Casi complicati

Come ben sa chi vi è implicato, ogni caso è unico. Ma a questo punto intendo occuparmi di tre paesi per i quali questa circostanza è particolarmente evidente: essi infatti non possono essere fatti rientrare in nessuna delle categorie illustrate nel capitolo precedente. Tutti e tre presentano regimi socialmente o costituzionalmente misti che comprendono due o tre componenti e quindi esigono l'esercizio simultaneo di diversi tipi di tolleranza. Essi riflettono la normale complessità della «vita reale» da cui le categorie da me presentate devono necessariamente fare astrazione. Successivamente svolgerò qualche breve considerazione sulla Comunità Europea, che è un'istituzione completamente nuova non tanto per la miscela di regimi che presenta, quanto per il fatto che li incorpora in una struttura costituzionale ancora in formazione.

Francia

La Francia rappresenta un caso particolarmente utile da studiare in quanto è uno stato nazionale classico e, nello stesso tempo, la principale società europea di immigrati, anzi una delle più importanti società di immigrati del mondo. Nel caso della Francia, il fenomeno dell'immigrazione ha avuto un peso enorme, ma è stato oscurato dagli straordinari poteri di assimilazione di questa nazione, sicché noi oggi siamo portati a considerarla una società omogenea, dotata di una cultura nello stesso tempo peculiare e unitaria. Fino a non molto tempo fa, i numerosi immigrati provenienti dall'Est e dal Sud (polacchi, russi, ebrei, italiani e nord-africani) non hanno costituito minoranze nazionali organizzate, hanno creato organizzazioni comunitarie di vario tipo – case editrici, una tipografia per le lingue straniere e così via – ma (a parte piccoli gruppi di rifugiati politici decisi a non restare) si sono messi insieme solo per sostenersi reciprocamente e per aiutarsi nel contesto di un processo largamente favorito e accelerato di assimilazione nella cultura e nella politica francese. La Francia è stata una società di immigrati molto più di qualsiasi altro paese europeo[1]. Eppure non è ancora una società pluralista – o almeno non si considera e non è considerata tale.

La spiegazione più probabile di questa anomalia – la presenza fisica e l'assenza concettuale di differenze culturali – va cercata nella storia della Francia moderna, soprattutto nella costruzione rivoluzionaria di uno stato nazionale repubblicano. Il nazionalismo maturato nel corso della lotta contro la chiesa e l'*ancien régime* aveva carattere politico e populista: esaltava il popolo come insieme di cittadini dediti a una causa. Tale causa era insieme francese e repubblicana, ma la sua «francesità» non poteva essere definita in senso religioso, etnico o storico. Per diventare francesi nel nuovo senso della parola, bastava diventare repubblicani. Gli stranieri hanno incominciato a essere ben accolti già nel corso della rivoluzione e da allora hanno continuato a esserlo, almeno a periodi, fino a oggi, a condizione di imparare il francese, di accettare la repubblica, di mandare i figli alla scuola di stato e di celebrare la presa della Bastiglia[2].

Una cosa che non ci si aspettava dagli immigrati era che organizzassero delle comunità etniche parallele alla comunità dei cittadini (e potenzialmente in conflitto con essa). L'ostilità dei francesi all'esistenza di associazioni secondarie forti al punto di dividere e contrapporre i cittadini è presente già nella teoria politica di Rousseau ed è stata espressa per la prima volta e con assoluta chiarezza nel dibattito svoltosi (nel 1791) all'Assemblea legislativa sull'emancipazione degli ebrei. Clermont-Tonnerre, deputato del centro, prendendo la parola a nome della maggioranza (favorevole all'emancipazione), affermò: «Dobbiamo rifiutare tutto agli ebrei come nazione e dare tutto agli ebrei come individui»[3]. Dal canto suo, Jean-Paul Sartre nel 1944 sostenne che questa era ancora la posizione tipica del «democratico» francese: «Con la sua difesa dell'ebreo, egli lo salva come uomo e lo annulla come ebreo [...], non riconoscendo in lui [...] se non l'astratto soggetto dei diritti dell'uomo e del cittadino»[4]. Gli individui possono essere naturalizzati e assimilati. La «francesità» era in questo senso un'identità suscettibile di espansione. La sola cosa che la Francia come stato nazionale repubblicano non poteva tollerare, come ha detto Clermont-Tonnerre, era «una nazione dentro la nazione».

La rivoluzione, così, aveva stabilito l'atteggiamento della Francia nei confronti degli immigrati – un atteggiamento che era in perfetta armonia con l'antico e costante rifiuto di vedere nei normanni, nei bretoni e negli occitani una vera e propria minoranza nazionale. Va detto che nel corso degli anni i repubblicani francesi riuscirono pienamente a mantenere l'ideale unitario della rivoluzione. Gli immigrati sono riusciti a integrarsi con maggiore o minore prontezza e sono stati ben felici di potersi chiamare cittadini francesi. Il loro obiettivo è sempre stato quello di essere tollerati come individui, per esempio come uomini e donne che frequentavano una sinagoga, e che in famiglia parlavano il polacco o leggevano i poeti russi. Non hanno mai nutrito alcuna ambizione pubblica come membri di una minoranza separata, o non l'hanno mai ammesso.

La situazione si mantenne in questi termini fino al collasso dell'impero coloniale e all'arrivo in Francia di ondate di ebrei nord-africani e di gruppi ancora più consistenti di musulmani arabi. Questi gruppi, in parte a causa delle loro dimensioni e in parte per effetto del mutato clima ideologico, cominciarono a studiare e poi anche a contestare l'ideale repubblicano. Possedendo culture proprie che desiderano preservare e riprodurre, essi, a differenza dei loro predecessori, non sono più disposti a consegnare i propri figli a una scuola di stato in vista della loro «francesizzazione» (diversamente da «americanizzazione», questo termine in realtà non esiste, ma ciò dimostra solo che il processo in questione era inconsapevole)[5]. Essi desiderano essere riconosciuti come gruppo e avere la possibilità di costruire la propria identità di gruppo in pubblico. Vogliono essere cittadini francesi, ma avere nello stesso tempo la libertà di vivere, per così dire, parallelamente ai francesi; molti anzi sono attivamente intolleranti nei confronti di quegli immigrati arabi ed ebrei che per sé e per i propri figli pensano a un'assimilazione vecchio stile.

Risultato immediato è stata la creazione di una difficile situazione di stallo tra assimilazionisti repubblicani (rappresentati dal governo, dai partiti di destra e di sinistra, dalle organizzazioni sindacali degli insegnanti e così via) e nuovi gruppi di immigrati (rappresentati da leader e militanti individuati per elezione o per autodesignazione). I repubblicani, seguendo la norma classica degli stati nazionali, cercano di mantenere l'uniformità e l'universalità della comunità dei cittadini e tollerano le diversità religiose ed etniche solo nella misura in cui queste si esprimono esclusivamente nella sfera privata o familiare. I nuovi immigrati, o almeno la maggioranza di essi, cercano di realizzare una qualche versione di multiculturalismo, anche se per lo più non sono pronti per la versione americana in cui ogni cultura è costituita in modo peculiare e divisa da conflitti interni. Forse in realtà stanno cercando di realizzare qualcosa di simile al sistema dei *millet* – cioè di ricreare in patria l'impero d'oltremare.

Israele

Israele rappresenta un caso ancora più complesso della Francia, in quanto comprende tre dei quattro regimi interni – ma una volta è stato proposto di attribuirgli anche

il quarto. Negli anni Trenta e Quaranta, infatti, una fazio-
ne del movimento sionista invocò una confederazione ara-
bo-ebraica, cioè uno stato binazionale. Il progetto si rivelò
praticamente irrealizzabile in quanto la questione fondamentale in discussione tra ebrei e arabi era la politica
dell'immigrazione. Non si trattava tanto di come organizzare un regime di tolleranza (all'interno di quali strutture
ebrei e arabi avrebbero potuto più facilmente tollerarsi gli
uni gli altri?), quanto di stabilire chi ne avrebbe fatto parte (quanti ebrei e quanti arabi dovevano esser lasciati entrare?). Su quest'ultimo problema i due gruppi non riuscirono a trovare una soluzione comune. Negli anni Trenta e
Quaranta la questione dell'immigrazione era particolarmente urgente per gli ebrei e costituì il motivo principale
per la creazione di uno stato ebraico indipendente.

Tale stato ovviamente non è una confederazione, tuttavia appare profondamente diviso da tre spaccature diverse. In primo luogo, il moderno stato di Israele è uno
stato nazionale creato da un classico movimento naziona-
listico dell'Ottocento che comprende in sé un'importante
«minoranza nazionale», cioè gli arabi palestinesi. I membri della minoranza sono cittadini dello stato, anche se la
loro storia e la loro cultura non si rispecchiano nella vita
pubblica dello stato stesso. In secondo luogo, Israele è
uno degli stati che sono succeduti (con la mediazione
dell'impero britannico) all'impero ottomano; come tale
esso ha conservato il sistema dei *millet* per le sue varie comunità religiose (ebrei, musulmani e cristiani), consentendo loro di gestire tribunali propri (per il diritto di fa-

miglia) e differenziando in parte i programmi scolastici rispettivi. In terzo luogo, la maggioranza ebraica di Israele è una società di immigrati provenienti dalla diaspora e quindi da ogni parte del mondo – una società frutto della «riunificazione» di uomini e donne che di fatto, a dispetto della comune ebraicità (non sempre pacificamente riconosciuta), hanno storie e culture molto diverse. Le differenze sono a volte etniche e a volte religiose. Complessivamente tutti questi individui costituiscono una maggioranza diversificata che si presenta compatta solo nei confronti della minoranza militante – e anche in questo caso non senza eccezioni. Il sionismo infatti è un grande fermento nazionale, ma non ha mai avuto i poteri assimilativi dell'ideale repubblicano francese.

Ognuna di queste brevi descrizioni di Israele ripropone, per così dire, la descrizione classica di un tipo di regime; ognuno dei tre regimi compresenti in Israele – stato nazionale, impero e società di immigrati – sembra emergerne con gli stessi tratti che ha quando esiste in forma indipendente. Ma in pratica le tre componenti agiscono in forme complesse l'una sull'altra innescando tensioni e conflitti che si aggiungono a quelli insiti in ciascuna presa a sé[6]. Il sistema dei *millet*, per esempio, rinchiude gli individui nelle loro comunità religiose, ma nel nostro caso queste ultime non sono l'ambito di appartenenza naturale o unico di tutti i cittadini che ne fanno parte – non lo sono, in particolare, per gli ebrei immigrati dall'Europa occidentale, dalle Americhe e dall'ex Unione Sovietica, molti dei quali o sono radicalmente secolarizzati o hanno una religiosità del tutto particolare. Essi vivono i tribunali rabbinici come istituzioni intolleranti e oppressive, residui di un *ancien régime* che non hanno mai conosciuto.

Analogamente la minoranza araba vede negli ebrei immigrati un affronto e una minaccia, non solo perché essi rafforzano il suo status di minoranza, ma anche perché dominano la battaglia politica per il riconoscimento e l'uguale trattamento. Diversamente dagli arabi, gli ebrei immigrati si aspettano di vedere riflessa la propria storia e la propria cultura nella vita pubblica dello stato ebraico. Ma di fatto ciò non è vero per tutti. Date le diversità esistenti all'interno del loro gruppo, molti sono portati a chiedere che lo stato opti per una versione della neutralità o del multiculturalismo tipica delle società di immigrati – cioè per qualcosa di molto diverso da ciò a cui pensavano i fondatori del sionismo. Sennonché questi assetti, pur comprendendo in via di principio gli arabi, in pratica spesso li lasciano ai margini – o li comprendono solo formalmente, impedendo, per esempio, che le loro scuole abbiano la quota prevista di finanziamenti statali[7]. Lo sforzo di far funzionare la tolleranza reciproca nel contesto degli immigrati (cioè degli ebrei) finisce per avere la precedenza sullo sforzo di rendere lo stato ebraico pienamente tollerante nei confronti della minoranza araba. Questa precedenza, naturalmente, è rafforzata dal conflitto internazionale tra Israele e i paesi arabi circostanti, ma rispecchia anche le difficoltà poste dalla coesistenza dei vari regimi.

In queste circostanze la tolleranza è resa più difficile dall'incertezza concernente alcune questioni: quali sono gli oggetti propri della tolleranza, gli individui o le comunità? E se sono le comunità, si tratta di quelle religiose, di quelle nazionali o di quelle etniche? A quanto è dato presumere, la risposta giusta è quella più comprensiva: oggetto proprio della tolleranza sono individui e comunità, siano esse religiose, nazionali o etniche. Qualora il conflitto internazionale trovasse una soluzione, la tolleranza all'interno di questa società lacerata da tre divisioni potrebbe rivelarsi più facile che in molti casi di divisione unica – e ciò perché si muoverebbe, per così dire, in diverse direzioni e sarebbe mediata da differenti strutture istituzionali. Ma tale mediazione presuppone una graduale revisione di queste strutture, un aggiustamento di ognuna alle altre. Che cosa richiederebbe questo processo? Forse una moltiplicazione dei tribunali religiosi che consenta loro di rispecchiare la divisione in atto dello stato di Israele in tre comunità. Forse un qualche tipo di autonomia locale per le città e i villaggi arabi. Forse un curriculum unificato di educazione civica che valga a insegnare a tutti i valori della democrazia, del pluralismo e della tolleranza, e che possa essere introdotto in tutte le scuole gestite dallo stato, siano esse arabe o ebraiche, laiche o religiose. Il primo suggerimento servirebbe ad adattare il sistema dei *millet* alla società di immigrati; il secondo, a modificare lo stato nazionale nell'interesse della nazionalità minoritaria; il terzo, ad affermare le pretese del medesimo stato nazionale nello stile che si confà a una società di immigrati – ossia in termini politici e morali, non in termini nazionali, religiosi o etnici. Ma non è esclusa nemmeno la possibilità che Israele vada incontro a crisi reiterate non solo in ognuno dei suoi regimi, ma anche nelle «zone di confine» in cui tali regimi interagiscono.

Canada

Il Canada è una società di immigrati con alcune minoranze nazionali – i nativi e i francesi – che sono anche nazioni conquistate. Queste minoranze non sono disseminate nel territorio come gli immigrati e hanno una storia molto diversa. Nella loro memoria collettiva non trova posto l'evento costituito dall'arrivo individuale; essi vantano, invece, un lungo passato di vita comunitaria, aspirano a perpetuarla e temono di non riuscirci nella società solo blandamente organizzata, individualistica ed estremamente mobile degli immigrati. Con ogni probabilità minoranze come queste non possono trovare un sostegno nemmeno in programmi forti di promozione della multiculturalità, in quanto tutti questi incoraggiano solo la formazione di quelle che abbiamo chiamato identità composite o duali, cioè identità frammentate in cui ciascun individuo negozia, dà un senso al trattino che è parte integrante della definizione di sé, e costruisce così una sorta di unità per proprio conto. Queste minoranze, al contrario, vogliono un'identità negoziata collettivamente e quindi hanno bisogno di un agente collettivo dotato di un'autorità politica che non sia esclusivamente formale.

Per gli abitanti del Québec l'importante è «vivere in francese», difendere la lingua che, in questo momento, è il loro principale segno distintivo. La loro vita quotidiana

non è significativamente diversa da quella degli altri canadesi. Le nazioni indigene invece possiedono ancora ciascuna la propria cultura specifica, che si manifesta in tutta la gamma delle attività sociali, e le loro proprie lingue.
Tutti questi gruppi minoritari probabilmente hanno bisogno di poter contare su un certo grado di autonomia (o di
indipendenza) dal Canada, se vogliono conservarsi nella
forma attuale. Ebbene, la tolleranza esige che venga la-
sciata loro la possibilità di farlo, o di tentare di farlo, mediante l'uso dell'autorità politica e dei poteri coercitivi che
il progetto richiederebbe? Perché mai non si dovrebbe
chiedere loro di adattarsi al modello di una società di immigrati?

Ma né gli indigeni né gli abitanti del Québec sono immigrati. Essi non hanno mai accettato i rischi e le perdite
culturali che l'immigrazione comporta. I francesi sono
giunti in Canada come coloni; i nativi sono esattamente
ciò che lascia intendere il loro nome: popoli indigeni, ossia coloni di un'epoca precedente. Nativi e francesi sono
stati conquistati mediante guerre che noi probabilmente
considereremmo ingiuste (anche se le guerre anglo-fran-
cesi forse erano ingiuste da entrambe le parti, giacché la
posta in gioco era il dominio sugli «indiani»). Tenuto conto di questa storia, una qualche forma di autonomia sembra assolutamente giustificata. Tuttavia elaborarla è
tutt'altro che facile: per farlo, servirebbe un assetto costituzionale che tratti diversamente persone diverse e che or-
ganizzi regimi diversi nelle varie parti del medesimo stato

– in un paese che ha scelto il principio liberale dell'uguaglianza di fronte alla legge.

Il rifiuto opposto (finora) dai canadesi alla richiesta di riconoscere al Québec uno status speciale tutelato dalla Costituzione – che è la causa principale della politica secessionistica della provincia – discende da quella scelta. Perché mai questa provincia dovrebbe essere trattata diversamente da tutte le altre? Perché il suo governo dovrebbe ottenere poteri negati ad altri? Io ho già suggerito una risposta storica a questi interrogativi, una risposta che trova conferma nei termini della capitolazione dei francesi nel 1760 e nel Quebec Act del 1776, che ha incorporato il Québec nell'impero britannico. L'annessione ricalcò il modello classico del multinazionalismo imperiale, consentendo «che la religione cattolica romana, la lingua francese, il sistema della proprietà signorile, nonché le leggi consuetudinarie e le forme di governo del periodo francese si perpetuassero sino all'instaurazione di un nuovo parlamento. I legislatori del Québec poi avrebbero potuto modificare queste vecchie forme nel senso che avrebbero giudicato più opportuno»[8].

Si può introdurre un ordinamento come questo in uno stato liberale e in una società di immigrati in cui gli altri gruppi costitutivi non godano di «garanzie» analoghe? Una risposta ovvia a questo interrogativo non esiste. Ma la tolleranza, quando viene estesa a gruppi realmente distinti per storia e per cultura, probabilmente esige un qualche genere di differenziazione giuridica e politica. La validità di quello che Charles Taylor ha chiamato «federalismo asimmetrico», lungi dal dipendere solo dalla storia (o dai trattati), poggia più concretamente sulle differenze ancora esistenti e sul desiderio degli individui di conservarle allo scopo di sostenere la propria cultura e di esserne i rappresentanti riconosciuti[9]. L'obiettivo è chiaro, mentre i mezzi per conseguirlo sono ancora in discussione. Gli abitanti del Québec sostengono che, se non avranno l'autorità di imporre l'uso quotidiano del francese, stanti i flussi migratori attuali e la schiacciante prevalenza degli anglofoni nell'intero Canada, tra breve non riusciranno più a difendere il francese come lingua pubblica e perderanno la propria identità. Ma nello stesso tempo affermano che la valorizzazione della loro lingua può essere promossa all'interno di un quadro istituzionale liberale – cioè tollerando coloro che non parlano il francese (come già previsto dal Quebec Act) – senza compromettere l'efficacia complessiva del progetto. Se così fosse, quello del Québec in teoria apparirebbe un caso privo di problemi, a dispetto delle difficoltà pratiche che finora ne hanno impedito una soluzione a livello costituzionale e che potrebbero continuare a ostacolarla.

La questione dei popoli indigeni è di più difficile soluzione, in quanto non è affatto certo che il loro modo di vita sia ammissibile in un quadro istituzionale liberale, sia pure sotto l'egida dell'autonomia: storicamente, infatti, il loro non è un modo di vita liberale. Una società liberale può tollerare al proprio interno gruppi illiberali e intolleranti (come sono, per lo più, le chiese) solo a condizione che essi assumano la forma di associazioni di volontariato. Ma può tollerare comunità autonome che pretendano di

esercitare poteri coercitivi sui propri membri? Una tolleranza di questo tipo era possibile negli antichi imperi, in
quanto i loro membri non erano cittadini (o, almeno, non
erano cittadini nel senso pieno del termine) – facendo leva su questa circostanza i capi tradizionali dei popoli indigeni possono anche invocare trattati risalenti all'autorità
imperiale. Ma gli attuali nativi sono cittadini canadesi e
l'autorità delle loro comunità è limitata dalla superiore legislazione del Canada, per esempio dalla Carta dei diritti
e delle libertà del 1981. I diritti costituzionali rappresentano altrettanti limiti per ogni collettività: perseguendo
l'obiettivo di emancipare gli individui, tali diritti inevitabilmente mettono in pericolo il modo di vita della collettività (in questo caso, quello tribale).

La cultura indigena è tollerata come espressione di una
comunità o di un insieme di comunità particolari la cui sopravvivenza, lungi dal poter essere garantita, costituisce
solo una possibilità. Le comunità dei nativi sono costituite legalmente con istituzioni riconosciute, capi legittimi e
risorse disponibili – tutte cose che migliorano le loro probabilità di sopravvivenza, ma che non rappresentano una
barriera efficace contro l'alienazione o la fuga individuale. La situazione degli indigeni, quindi, è diversa da quella degli ebrei, dei battisti e dei lituani, come pure di ogni
altra comunità religiosa o di immigrati, nel senso che queste ultime non sono costituite o riconosciute alla stessa
maniera. Trattandosi di popoli che sono stati fatti oggetto
di conquista e che provengono da una lunga subordinazione, gli indigeni, per organizzare ed esprimere la loro an-

tica cultura, devono disporre, e di fatto dispongono, di uno spazio giuridico e politico più ampio. Ma lo spazio assegnato loro ha pur sempre porte e finestre; non può essere isolato dalla società circostante, in quanto i suoi abitanti sono anche cittadini. Ognuno di essi può decidere di uscirne per restarne fuori o di combattere dall'interno i capi riconosciuti e le pratiche invalse, né più né meno di come possono fare ebrei, battisti e lituani all'interno dei gruppi di appartenenza. Le nazioni indigene, insomma, vengono tollerate come nazioni, ma nello stesso tempo anche i loro membri vengono tollerati come individui cui è consentito di correggere o di respingere i modi di vita della nazione di origine. Le due forme di tolleranza coesistono, ma i dettagli di tale coesistenza restano da definire e la sua vitalità a lungo termine permane incerta.

La Comunità Europea

Ai miei occhi, la Comunità Europea è l'esempio di un'unione di stati nazionali che non è né un impero né una confederazione, ma una realtà diversa da entrambe le cose e forse una novità assoluta. Poiché essa è ancora in via di formazione e dalla fisionomia costituzionale discussa e incerta, la mia presentazione sarà in larga misura congetturale e speculativa. Quali forme assumerà la tolleranza all'interno dell'Unione Europea?

La Comunità Europea, a dispetto delle accuse di ambizione imperiale rivolte contro i suoi rappresentanti ufficiali di Bruxelles, non è un impero in quanto gli stati che la costituiscono hanno rinunciato solo in parte ai propri

poteri sovrani: qualunque sarà l'entità di tali rinunce, è
certo che i poteri residui degli stati membri andranno molto al di là dell'autonomia. La Comunità Europea non può
considerarsi nemmeno una confederazione sia per il numero degli stati coinvolti sia perché essi, di nuovo, con-
servano quasi integralmente la propria sovranità. Perché
allora non pensare che si tratti semplicemente di un'alleanza tra stati sovrani in vista di qualche obiettivo limitato? Perché la lunga storia della politica delle alleanze non
ha mai creato nulla di simile alla coordinazione economica cui pensano i suoi membri. C'è poi un'altra ragione per
cui questo modello non corrisponde alla realtà: l'esistenza
di una «Carta sociale» su cui i suoi membri hanno trovato
un accordo. A dispetto della debolezza delle sue enuncia-
zioni attuali, infatti, essa non si limita a stabilire gli standard minimi delle retribuzioni e l'estensione della setti-
mana lavorativa, ma afferma anche «l'uguaglianza tra uomini e donne relativamente alle opportunità offerte dal
mercato del lavoro e al trattamento sul luogo di lavoro»[10].
Queste stipulazioni sono diverse da quelle analoghe contenute nella Dichiarazione internazionale dei diritti promul-
gata dalle Nazioni Unite: lungi dall'essere puramente esor-
tatorie, infatti, esse sono fatte per essere attuate, anche se il
meccanismo di tale attuazione resta ancora poco chiaro.

Di fatto esiste già una convenzione europea sui diritti
umani, giuridicamente operante fin dagli anni Sessanta e
che ora è stata integrata nella Carta della Comunità. Immaginiamo di integrare questi due documenti sino a com-
prendervi tutta una serie di diritti negativi e positivi (qui

non intendo interrogarmi su quale possa essere precisamente il loro contenuto): vi troveremmo (o forse ci sono già) le pratiche tollerate negli stati membri, le caratteristiche della loro cultura politica, ovvero gli assetti economici o sociali di lunga durata che la nuova unione non tollererà (per esempio, la disuguaglianza tra i sessi). Per certi versi, come vedremo, la Comunità Europea esige che i suoi membri siano più tolleranti, e più variamente tolleranti, di quanto non siano stati in passato. Ma la Carta, còsì come io l'ho immaginata, dovrebbe stabilire una serie di limiti e poiché essi andranno espressi nella lingua dei diritti, presumibilmente condizionerebbero tutte le altre norme e le altre pratiche. Tale prevalenza dei diritti avrebbe implicazioni molto significative: sposterebbe l'accento del dibattito politico dai parlamenti ai tribunali e alle agenzie amministrative semi-giudiziarie (com'è avvenuto in qualche misura negli Stati Uniti); aumenterebbe il contenzioso; e, cosa della massima importanza, incrementerebbe il potere relativo degli individui nei confronti degli stati nazionali o dei gruppi etnici o religiosi cui appartengono. Mentre gli antichi imperi tolleravano diverse culture legali, la nuova Comunità sembra promettere di imporre una sola legge dominante (naturalmente in forma graduale e a condizione che lo sviluppo prosegua in questa direzione).

Nello stesso tempo, però, ogni stato membro sarà più eterogeneo di quanto non sia stato in passato – e ciò in due sensi. In primo luogo, all'interno degli stati la Comunità riconosce che le regioni sono destinatarie legittime della politica economica e sociale, e non è escluso nemmeno che

in futuro possa riconoscere in esse anche altrettanti soggetti politici. Questo riconoscimento quasi certamente
conferirà maggiore importanza alle minoranze concentrate in certi territori, per esempio agli scozzesi e ai baschi (di
cui peraltro ha già rilanciato le ambizioni). Ma le conseguenze a lungo termine del regionalismo potranno essere
contrastate dalla seconda fonte di eterogeneità, cioè
dall'immigrazione, che tenderà a diluire le concentrazioni
etniche regionali. Attualmente i «cittadini» della Comunità già si muovono attraverso le frontiere di stato con una
libertà assai più ampia che in passato e nei loro spostamenti portano con sé non soltanto tutti i nuovi diritti trasferibili che sono stati riconosciuti loro, ma anche le loro
vecchie culture e religioni. Così ben presto le nazioni maggioritarie si troveranno a convivere con minoranze cui non
sono abituate; e le minoranze nazionali consolidate si vedranno contestate da nuovi gruppi con idee nuove sulle
strutture istituzionali che la tolleranza esige. Con l'aumentare della mobilità della popolazione, la Comunità nel
suo insieme assomiglierà sempre più a una società di immigrati e farà posto a un numero crescente di minoranze
geograficamente frammentate prive di legami forti con un
territorio particolare.

Naturalmente, gli stati membri della Comunità continueranno pur sempre a essere stati nazionali: nessuno si
aspetta che in Olanda o in Danimarca il numero degli immigrati finisca per essere così elevato da trasformare la popolazione originaria in una minoranza, in uno dei tanti
gruppi presenti sul territorio che era stato il loro. Tuttavia

gli stati saranno costretti a tollerare dei nuovi arrivati che essi non avevano scelto (e non si tratterà solo di «europei», giacché un immigrato, una volta naturalizzato in un paese, acquisterà per ciò stesso il diritto di accedere agli altri). Ogni paese dovrà trovare un modo di convivere pacificamente con i nuovi venuti, nonché con le loro pratiche religiose e culturali, con i loro modelli di famiglia e con i loro valori politici – naturalmente, come sempre, sulla base della Carta sociale (la quale, in relazione alla sua portata e alla sua applicazione, potrà produrre o non produrre un regime comune di tolleranza).

Analogamente i nuovi venuti impareranno a convivere pacificamente con la cultura politica del loro nuovo paese. Com'è naturale, i vari gruppi cercheranno assetti diversi. A dispetto delle tendenze individualistiche che sono presenti in tutte le società di immigrati, alcuni di essi cercheranno di certo soluzioni corporative (ossia specifiche per il loro gruppo). Ma molto probabilmente gli stati ospiti non le giudicheranno accettabili se non in versioni assai modificate molto simili al modello dell'associazione di volontariato tipico degli stati nazionali. Né è pensabile che i responsabili della Comunità a Bruxelles o i suoi giudici operanti a Strasburgo intervengano a favore del corporativismo: tutt'al più essi difenderanno i diritti individuali. Non sappiamo quale sia il modello destinato ad affermarsi: gli individui si identificheranno con gruppi etnici o religiosi e pretenderanno un qualche tipo di riconoscimento da parte dello stato; ma i gruppi saranno precari e anch'essi passibili di trasformazioni né più né meno dei singoli immigrati, i quali si adattano al nuovo ambiente, assimilano cose nuove, si sposano con membri di altri gruppi e così via. La Comunità Europea, insomma, promette di trasmettere a tutti i suoi stati membri i vantaggi e le tensioni del multiculturalismo.

4.
Questioni pratiche

Potere

Nella conversazione quotidiana ricorre frequentemente l'affermazione che la tolleranza segnala sempre un rapporto di disuguaglianza all'interno del quale i gruppi o gli individui tollerati occupano una posizione di inferiorità. Tollerare una persona, si dice, significa esercitare un potere; essere tollerati significa accettare una condizione di debolezza[1]. L'idea è che si deve mirare a qualcosa di più di questa combinazione, a un obiettivo che va oltre la tolleranza e che potremmo chiamare rispetto reciproco. Ad ogni modo, una volta delineati i cinque regimi, la questione sembra più complessa: il rispetto reciproco è uno degli atteggiamenti che favoriscono la tolleranza – forse il più attraente, ma non necessariamente quello che ha maggiore probabilità di svilupparsi né il più stabile nel tempo. A volte, anzi, la tolleranza funziona meglio quando i rapporti di superiorità e di inferiorità sono chiaramente marcati e comunemente riconosciuti. Ciò è particolarmente evidente nella società internazionale, dove l'ambiguità dei rapporti di potere è una delle cause principali di guerra. La tesi appena avanzata probabilmente è vera anche per certi regimi interni, come la confederazione, in cui l'incertezza sul potere relativo dei vari gruppi può sfociare in disordini politici e addirittura nella guerra civile. Nelle società di immigrati, invece, l'incertezza produce risultati opposti: se le persone non conoscono in modo chiaro la propria posizione nei confronti degli altri, ovviamente la tolleranza è la politica più razionale. Anche qui, comunque, di questioni concernenti il potere politico ne insorgono di continuo, sebbene forse tra di esse non compaia l'unica decisiva: a chi tocca comandare e a chi obbedire? Quella che si pone regolarmente è tutta una serie di questioni più modeste: chi è il più forte di solito? Chi ha maggiore visibilità nella vita pubblica? Chi dispone della quota di risorse più consistente? Questi interrogativi (al pari peraltro dell'unica questione decisiva) difficilmente possono essere compresi fino in fondo se non si hanno presenti altri temi – classe, sesso, religione e così via – che ci accingiamo a discutere in questo capitolo; ciò non toglie, comunque, che essi possano essere posti anche indipendentemente da quei temi.

Negli imperi multinazionali il potere è nelle mani dei burocrati centrali. Tutti i gruppi che entrano a fare parte di tali imperi sono incoraggiati a considerarsi ugualmente privi di potere e quindi incapaci di costringere o di perseguitare i propri vicini. Qualsiasi tentativo locale di esercitare coercizioni produrrà un appello al centro. Ciò spiega perché, sotto il governo degli ottomani, greci e turchi vivessero pacificamente fianco a fianco. Erano rispettosi gli uni degli altri? Alcuni probabilmente sì, altri no. La natura del loro rapporto, però, non dipendeva dal loro rispetto reciproco, ma dalla comune soggezione. Quando la soggezione non è un'esperienza ugualmente condivisa da tutti i gruppi incorporati nell'impero, la tolleranza tra tali gruppi diventa più difficile. Se uno di essi sarà convinto di avere un'affinità particolare con il centro dell'impero e riuscirà a stringere un'alleanza con i suoi rappresentanti locali, spesso cercherà anche di dominare gli altri – come hanno fatto i greci nell'Alessandria romana. All'interno di una struttura imperiale, il potere promuove più efficacemente la tolleranza quando è lontano, neutrale e opprimente.

Quando ha queste caratteristiche, il potere imperiale è chiaramente più utile alle minoranze locali, le quali quindi cercheranno di essere i più leali sostenitori dell'impero. I leader dei movimenti di liberazione nazionale di solito esprimono (e sfruttano) il risentimento verso queste stesse minoranze attribuendo loro posizioni filo-imperialistiche. La transizione da provincia imperiale a stato nazionale indipendente rappresenta un momento critico nella storia della tolleranza. Spesso le minoranze vengono molestate, attaccate e costrette a lasciare il territorio. È ciò che avvenne in Uganda ai commercianti e agli artigiani di origine indiana, che furono mandati in esilio subito dopo il ritiro degli inglesi dallo stato africano (e che per lo più seguirono questi ultimi in Gran Bretagna, portando, per così dire, l'impero a casa e creando nel centro imperiale una nuova varietà). I gruppi di questo tipo a volte riescono a trasformarsi in minoranze tollerate, ma il loro cammino è sempre difficile; e il traguardo finale, ammesso pure che venga conseguito, probabilmente rappresenta una perdita secca in termini di sicurezza e di status. Questo è uno dei costi comuni della liberazione nazionale – un costo che, però, in uno stato liberale e democratico è possibile evitare, o almeno ridimensionare.

La confederazione probabilmente esige qualcosa di simile al rispetto reciproco almeno tra i leader dei vari gruppi – giacché i gruppi devono non solo coesistere, ma anche negoziare tra di loro i termini della propria coesistenza. I negoziatori, come i diplomatici nella società internazionale, devono conciliare i propri interessi con quelli degli altri. E quando non possono o non vogliono farlo, com'è avvenuto a Cipro dopo la partenza degli inglesi, la confederazione fallisce. Al contrario, i singoli membri delle varie comunità non hanno alcun bisogno di adattarsi gli uni agli altri, se non quando si incontrano al mercato e realizzano delle transazioni economiche. Di fatto, la confederazione probabilmente è più facile quando le comunità non hanno rapporti molto intensi tra loro, quando ognuna di esse è relativamente autosufficiente e concentrata sulle sue questioni interne. In questo caso l'espressione del potere – sotto forma di valutazione del peso demografico delle popolazioni e della loro ricchezza – avviene solo a livello federale, dove i leader delle comunità si confrontano sulle allocazioni finanziarie e sulla composizione dell'amministrazione pubblica.

Negli stati nazionali il potere è nelle mani della nazione maggioritaria, la quale, come abbiamo visto, si serve dello stato per i propri scopi. Non c'è nulla che impedisca necessariamente la reciprocità tra gli individui, anche se in effetti è più probabile che essa fiorisca nelle democrazie liberali. Ma i gruppi di minoranza contano di meno a causa della loro modesta consistenza numerica, sicché sono destinati a subire democraticamente l'orientamento della maggioranza su quasi tutte le questioni di cultura pubblica. La maggioranza tollera le differenze culturali nello stesso modo in cui il governo tollera l'opposizione politica, ossia stabilendo un regime di diritti e di libertà civili, e creando una magistratura indipendente con il compito di garantirne l'efficacia. I gruppi di minoranza, allora, si consulteranno, si organizzeranno, raccoglieranno fondi, forniranno servizi ai loro membri, pubblicheranno libri e riviste e sosterranno tutte le istituzioni che potranno permettersi e che considereranno utili. Quanto più intensa sarà la loro vita interna, tanto più la loro cultura si distinguerà da quella della maggioranza e tanto meno essi risentiranno dell'assenza di espressioni delle loro credenze e delle loro pratiche nella sfera pubblica. Al contrario, quando i gruppi di minoranza sono deboli, i loro membri finiranno per adottare sempre più – almeno in pubblico, ma spesso anche in privato – le credenze e le pratiche della maggioranza. Le situazioni intermedie invece generano tensioni e alimentano continui scontri sul simbolismo della vita pubblica. Il caso della Francia contemporanea, così come è stato descritto nel capitolo precedente, dimostra chiaramente che quest'ultima possibilità è tutt'altro che remota.

Una condizione analoga è quella che si crea nelle prime fasi storiche delle società di immigrati, quando le prime popolazioni giunte su un territorio tendono a darsi la forma di stato nazionale. Le successive ondate di immigrazione producono uno stato in via di principio neutrale che rappresenta la versione democratica della burocrazia imperiale. Tale stato conserva e sostiene – fino a quando, nessuno può saperlo – una parte degli assetti istituzionali e del simbolismo del suo predecessore immediato. Così ogni nuovo gruppo di immigrati si trova ad adattarsi al linguaggio e alla cultura del gruppo precedente, che pure nello stesso tempo modifica. Lo stato tuttavia vuole porsi al di sopra della mischia e dichiara di non avere nessun interesse a dirigere il corso di queste trasformazioni. Esso si rivolge solo agli individui e in tal modo crea, o tende a creare nel tempo, una società aperta in cui tutti, come ho argomentato, sono impegnati a praticare la tolleranza. A questo punto forse diventa possibile tradurre in realtà il programma così largamente celebrato di «andare oltre la tolleranza». Tuttavia non è chiaro se, dopo che sia stata compiuta questa svolta, resteranno ancora significative differenze di gruppo da rispettare.

Classe

Di solito l'intolleranza è particolarmente virulenta quando le differenze culturali, etniche o razziali coincidono con differenze di classe, ossia quando i membri dei gruppi di minoranza sono anche economicamente subordinati. Questa subordinazione è assai meno probabile negli imperi multinazionali, in cui ogni nazione possiede una sua dotazione completa di classi sociali. Di solito il multinazionalismo produce gerarchie parallele, anche se la ricchezza del paese non è divisa ugualmente tra le varie nazioni dell'impero. La società internazionale è caratterizzata dal medesimo parallelismo e quindi la disuguaglianza delle nazioni, per quanto non priva di conseguenze negative, non genera problemi di tolleranza. Le élite degli stati interagiscono in modi che sono del tutto determinati da differenze di potere, e non di cultura. Le élite degli stati dominanti imparano prontamente a rispettare le culture in passato considerate «inferiori», quando i leader politici di queste ultime, intervenendo a summit internazionali, esibiscono all'improvviso nuove ricchezze o nuove armi.

Idealmente, le confederazioni presentano la medesima forma: le varie comunità, per quanto disuguali al loro interno, nel paese globalmente considerato sono partner pressoché uguali. Ma spesso accade che una comunità con una diversa cultura sia anche subordinata dal punto di vista economico. Un esempio evidente di questo fenomeno ci viene offerto dagli sciiti del Libano: essi presentano non solo questa doppia differenziazione, ma anche lo scarso peso politico che di solito ne consegue. Tale processo funziona anche in un altro senso: quando i poteri dello stato compiono discriminazioni a danno dei membri di un gruppo di questo tipo, in qualche modo legittimano e consolidano l'ostilità che questi ultimi incontrano in ogni altra area della vita sociale. Il loro destino comune appare scontato: i lavori più ingrati, le abitazioni più povere e le scuole peggiori sono riservate a loro. Essi rappresentano una classe inferiore, che si distingue dalle altre per etnia o religione. È vero che, in un senso minimale, si può dire che vengono tollerati (per esempio, viene loro consentito di avere luoghi di culto propri), ma in senso stretto essi sono oggetto e non soggetto di tale tolleranza. L'uguaglianza federativa e il riconoscimento reciproco che dovrebbe conseguirne sono entrambi impediti dalla disuguaglianza di classe.

Negli stati nazionali, le minoranze nazionali si trovano a volte in una situazione analoga, e in taluni casi anche per le medesime ragioni. La sequenza causale può essere innescata sia dallo stigma culturale che dalla debolezza economica o da quella politica, ma in ogni caso comprende tutti e tre i fattori. Tuttavia può anche accadere che minoranze nazionali relativamente povere di potere, per esempio i cinesi a Giava, siano economicamente ricche (sia pure non così ricche come amano far credere i demagoghi che aizzano la maggioranza contro di loro). Gli imperi al tramonto spesso lasciano le minoranze di successo pericolosamente esposte all'intolleranza dei nuovi governanti dello stato nazionale. Tale intolleranza può assumere forme estreme, come si è visto nel caso dei coloni indiani in Uganda. Per una minoranza nazionale, in particolare se di nuova formazione, la prosperità visibile rappresenta certamente un pericolo. Al contrario, la povertà invisibile costituisce un pericolo meno grave, ma produce maggiore infelicità, giacché pone le premesse per un disconoscimento radicale e per una discriminazione automatica e istintiva. Basti pensare agli uomini e alle donne «invisibili» dei gruppi di minoranza (o delle caste inferiori) che forniscono alla società l'esercito dei netturbini, degli addetti alla raccolta dei rifiuti, degli sguatteri, degli inservienti di ospedale e così via: i membri della maggioranza danno tranquillamente per scontata la loro presenza, ma raramente li guardano negli occhi o li fanno partecipare alle loro conversazioni.

Le società di immigrati fanno posto regolarmente a gruppi di questo tipo, per esempio ai nuovi immigrati che provengono dai paesi più indigenti portando con sé la propria povertà. Ma povertà cronica e stigma culturale sono il destino non tanto degli immigrati (che, in fin dei conti, sono i membri tipici di una società di immigrati) quanto dei popoli indigeni conquistati e dei gruppi importati con la forza, per esempio gli schiavi neri d'America e i loro discendenti. Qui la più radicale subordinazione politica coincide con la più radicale subordinazione economica, e in entrambe le cose l'intolleranza razziale gioca un ruolo causale importante. La combinazione di debolezza politica, povertà e stigma razziale pone problemi estremamente difficili al regime di tolleranza che la società di immigrati dovrebbe rappresentare. I gruppi stigmatizzati di solito non dispongono di risorse che consentano loro di alimentare un'intensa vita interna, sicché non possono funzionare né come una comunità religiosa corporativamente organizzata all'interno di un impero (anche se alle popolazioni native conquistate a volte vengono riconosciute le forme legali di una comunità di questo tipo), né come una mino-

ranza nazionale radicata in un certo territorio. Agli individui che costituiscono questi gruppi non si consente neppure di muoversi liberamente lungo la strada obbligata in
salita che è tipica degli immigrati. Essi formano una casta
anomala che occupa il gradino più basso del sistema delle
classi.

La tolleranza è ovviamente compatibile con la disuguaglianza ogniqualvolta il sistema delle classi viene riprodotto, più o meno nello stesso modo, in ognuno dei vari gruppi. Ma questa compatibilità viene meno quando i
gruppi sono anche classi. Un gruppo etnico o religioso che
costituisse il *Lumpenproletariat* o il sottoproletariato di
una società sarebbe virtualmente certo di essere fatto oggetto di una qualche forma estrema di intolleranza – non
di massacri o di espulsioni (giacché i suoi membri spesso
svolgono un ruolo economicamente utile che nessun altro
gruppo aspira ad assumere), ma di discriminazioni, esclu-
sioni e umiliazioni quotidiane. Le altre persone naturalmente sono rassegnate alla loro presenza, ma tale rassegnazione non può considerarsi espressione di tolleranza in
quanto fa tutt'uno con il desiderio di renderli invisibili[2].
In teoria, è possibile che in tale situazione si insegni il rispetto per i membri del sottoproletariato e per i ruoli che
essi svolgono, e anche, più in generale, la tolleranza per
tutte le persone, indipendentemente dal loro lavoro, fosse
pure il più pesante e il più sporco. In pratica, se non si
spezza il legame tra classe e gruppo, uno specifico rispetto e una tolleranza più larga sono del tutto improbabili.

L'obiettivo dei programmi compensativi o di discriminazione «a rovescio» nell'ammissione degli studenti all'università, nella selezione dei dipendenti pubblici e nell'allocazione dei finanziamenti statali è proprio quello di spezzare questo legame tra classe e gruppo. Gli impegni ugualitari non hanno mai come oggetto gli individui; questi ultimi vengono semplicemente spostati verso l'alto o verso il basso della scala gerarchica. I programmi compensativi sono ugualitari solo a livello del gruppo, dove mirano a produrre gerarchie analoghe fornendo ai gruppi subordinati le classi superiori, professionali o medie di cui sono privi. Se tutti i gruppi presentano un profilo sociale più o meno uguale, è più facile che le differenze culturali vengano accettate. Ciò non vale per i casi di grave conflitto nazionale; ma dove il pluralismo esiste già, per esempio nelle confederazioni e nelle società di immigrati, sembra plausibile. Nello stesso tempo, l'esperienza degli Stati Uniti suggerisce che la scelta di privilegiare i membri dei gruppi subordinati, anche ammesso che produca conseguenze utili nel lungo termine, nel breve termine rafforza l'intolleranza. Crea ingiustizie reali nei confronti di individui particolari (di solito appartenenti ai gruppi appena al di sopra di quelli beneficati) e alimenta risentimenti politicamente pericolosi. Pertanto si può forse dire che nelle società pluralistiche una tolleranza più ampia esige maggiore ugualitarismo. In questi regimi di tolleranza la chiave del successo non va cercata – o non va cercata soltanto – nella reiterazione della gerarchia in ogni gruppo, ma anche nella riduzione delle gerarchie all'interno della società globalmente considerata[3].

Genere

Le questioni concernenti l'organizzazione familiare, nonché i ruoli e i comportamenti sessuali sono tra le più controverse in tutte le società contemporanee. Ma sarebbe un errore pensare che questo loro potere di creare divisioni e controversie sia un fenomeno nuovo: su poligamia, concubinato, prostituzione rituale, isolamento delle donne, circoncisione e omosessualità le discussioni durano da millenni. Le culture e le religioni si sono distinte l'una dall'altra proprio in virtù delle pratiche peculiari che adottavano al riguardo o di quelle che criticavano negli «altri». Ma la portata virtualmente universale del predominio maschile ha posto dei limiti alle cose su cui poteva esserci discussione (e alle persone che potevano prendervi parte). Oggi idee ampiamente accettate concernenti l'uguaglianza e i diritti umani mettono in dubbio quei limiti. Oggi si può discutere di tutto, e a questo inedito esame critico non possono sottrarsi neppure le culture e le religioni. Questa circostanza a volte giova alla causa della tolleranza, ma a volte, com'è ovvio, le nuoce. La linea divisoria teorica e pratica tra ciò che è tollerabile e ciò che non lo è con ogni probabilità è destinata a essere discussa e alla fine tracciata proprio qui, in riferimento a quelle che io chiamerò sinteticamente questioni di genere.

I grandi imperi multinazionali di solito hanno lasciato tali questioni alle comunità da cui erano costituiti. Quello del genere era considerato per sua natura un problema interno; esso non implicava – o si riteneva non implicasse – alcun tipo di interazione comunitaria. Sul terreno delle transazioni economiche non si tolleravano costumi commerciali estranei; al contrario, il diritto di famiglia (come diritto «privato») veniva lasciato interamente alle autorità religiose tradizionali o agli anziani (di sesso maschile). Da loro dipendeva anche la pratica consuetudinaria, in merito alla quale era molto improbabile che intervenissero i funzionari imperiali.

Si pensi alla sorprendente riluttanza con cui gli inglesi finalmente, nel 1829, proibirono la pratica del *suttee* (cioè l'auto-immolazione della vedova indù sul rogo funebre del marito) negli stati indiani. Per molti anni la Compagnia delle Indie orientali e poi il governo inglese l'avevano tollerata in considerazione di quella che uno storico del ventesimo secolo chiama «la loro dichiarata intenzione di rispettare sia le credenze indù che quelle musulmane e di consentire il libero esercizio dei diritti religiosi». Del resto, come osserva il medesimo storico, gli stessi governanti musulmani, che pure non avevano nessun rispetto per le credenze indù, avevano fatto solo tentativi sporadici e poco convinti di sopprimere questa pratica[4]. Considerato che gli inglesi sono giunti al punto di ammettere il *suttee*, e tenuto conto della visione che avevano di questa pratica, si può ben dire che la tolleranza imperiale è molto ampia.

Una tolleranza di questa portata può essere concessa anche dalle confederazioni nel caso in cui il potere delle comunità che le costituiscono sia in una situazione di equilibrio quasi completo e i leader di una di esse siano molto attaccati a questa o a quella pratica consuetudinaria. Al contrario, uno stato nazionale, caratterizzato per definizione da una distribuzione sbilanciata del potere, non tollererebbe mai una pratica come il *suttee* in una minoranza nazionale o religiosa. Né è probabile ritrovare una tolleranza simile in una società di immigrati in cui ognuno dei gruppi, relativamente a tutti gli altri, rappresenta una minoranza. La storia dei mormoni negli Stati Uniti ci fa capire che le pratiche devianti, per esempio la poligamia, non vengono tollerate nemmeno se sono esclusivamente interne e riguardano «soltanto» la vita domestica. Nei due esempi appena fatti, lo stato garantisce uguale cittadinanza a tutti i suoi membri – comprese le vedove indù e le mogli dei mormoni – e applica un'unica legge. Non ci sono tribunali per le singole comunità; l'intero paese costituisce un'unica giurisdizione al cui interno i pubblici ufficiali sono tenuti a impedire che si consumi un *suttee*, esattamente come sono tenuti a fermare, se possibile, un tentativo di suicidio. E qualora, come spesso accadeva, si trattasse di un *suttee* «assistito», i pubblici ufficiali devono trattare tale coercizione come omicidio, escludendo ogni attenuante religiosa o culturale.

Questo, perlomeno, è quanto discende dai modelli di stato nazionale e di società di immigrati da me descritti in precedenza. Ma la realtà a volte rimane indietro. È ciò che avviene al riguardo di un'altra pratica rituale riguardante il corpo delle donne: la mutilazione genitale o, in termini più neutrali, la clitoridectomia e l'infibulazione. Queste due operazioni vengono comunemente praticate sulle bambine o sulle giovani donne in molti paesi africani; e poiché nessuno ha invocato un intervento umanitario inteso ad abolirle, si può ben dire che la società internazionale le tollera (a livello di stato, anche se numerose organizzazioni operanti nella società civile internazionale le combattono). Queste operazioni vengono compiute anche nelle comunità di africani immigrati in Europa e nell'America settentrionale. Per la verità, Svezia, Svizzera e Gran Bretagna le hanno poste espressamente fuori legge, ma non si può certo dire che si siano impegnate seriamente a far valere il divieto. In Francia, che è un classico stato nazionale (ma ora anche, come si è visto, una società di immigrati), è stato calcolato che, a metà degli anni Ottanta, le ragazze «a rischio» fossero circa 23.000. Quante di esse abbiano effettivamente subito la mutilazione, non lo sappiamo. Quel che sappiamo è che ci sono stati moltissimi processi ampiamente pubblicizzati per violazione della legge universale che proibisce le mutilazioni – processi che hanno visto sul banco degli imputati le donne che avevano compiuto queste operazioni e le madri delle ragazze. I procedimenti si sono conclusi con la condanna, ma le sentenze sono state poi sospese. In realtà (attorno alla metà degli anni Novanta) la pratica è condannata in pubblico, ma tollerata nei fatti[5].

L'argomento a favore della tolleranza ha a che fare con il «rispetto della diversità culturale», una diversità concepita, sulla scorta del modello standard dello stato nazionale, come derivante dalle scelte dei membri rappresentativi di una comunità culturale. Così, una petizione del 1989 contro la criminalizzazione di quella che viene chiamata «excisione» afferma: «Prevedere una condanna penale per un costume che non minaccia l'ordine repubblicano e che non c'è ragione di non assegnare alla sfera delle scelte private, alla stregua della circoncisione, significherebbe dar prova di intolleranza: tale intolleranza non potrebbe fare altro che porre in essere più drammi umani di quelli che pretende di evitare e mettere a nudo una concezione estremamente angusta della democrazia»[6]. Come nel caso del *suttee*, anche qui è importante correggere la descrizione: clitoridectomia e infibulazione, infatti, «sono paragonabili [...] non al taglio del prepuzio, ma alla rimozione del pene»[7], ed è ben difficile vedere in pratiche del genere una questione di scelta privata. A ogni modo, non sono le bambine a sceglierle, ma esse vengono loro imposte. Pertanto, lo stato francese deve loro la protezione delle sue leggi: alcune hanno la cittadinanza francese e molte sono destinate a diventare madri di cittadini francesi. Inoltre, se non altro, esse risiedono in Francia e presumibilmente in futuro parteciperanno alla vita sociale ed economica del paese. Potrebbero certo restare del tutto confinate nella comunità degli immigrati, ma anche trarre vantaggio dal fatto di vivere in Francia e uscirne. Nei confronti di questi individui certamente la tolleranza non può estendersi alla mutilazione rituale più di quanto non possa estendersi al suicidio rituale. In questi casi estremi la diversità culturale è protetta dalle interferenze solo quando i confini sono molto più netti di quanto non siano o non possano essere negli stati nazionali o nelle società di immigrati[8].

In casi di altro tipo in cui i valori morali della comunità più vasta – la maggioranza nazionale o la coalizione delle minoranze – non vengano sfidati in modo così diretto, invece, l'accettazione del pretesto della diversità religiosa o culturale (nonché della «scelta privata»), il rispetto della diversità e la tolleranza di pratiche sessuali insolite fanno parte del novero delle possibilità. È ciò che avviene nei confronti di minoranze molto chiuse o settarie come gli amish d'America o gli hasidim, cui le autorità statali (o i tribunali) a volte sono disposti a offrire delle soluzioni di compromesso – per esempio la separazione dei sessi sui bus scolastici e perfino in classe.

Ma i gruppi più consistenti e forti (e quindi anche più minacciosi) non si vedranno proporre concessioni simili neppure su questioni relativamente meno importanti. I compromessi da essi raggiunti, anzi, potranno sempre essere contestati da una setta o da un membro del gruppo che rivendichi i diritti dei propri concittadini. Supponiamo che si giunga (doverosamente) a un accordo che consenta alle ragazze musulmane di indossare il loro copricapo tradizionale nelle scuole pubbliche francesi[9]. Ciò rappresenterebbe un compromesso con una norma dello stato nazionale e un riconoscimento del diritto delle comunità di immigrati a una sfera pubblica (moderatamente) multiculturale. Il calendario e il corso degli studi, invece, continuerebbero ad essere regolati dalla tradizione laica dell'istruzione francese. Immaginiamo ora che molte ragazze musulmane affermino di essere state costrette dalle proprie famiglie a portare il copricapo e obiettino che il compromesso raggiunto facilita questa coercizione. In tal caso occorrerebbe riaprire il negoziato. Negli stati nazionali e nelle società di immigrati, ma non negli imperi multinazionali, il diritto di essere tutelati da coercizioni del genere dovrebbe avere la precedenza sui «valori familiari» della religione o della cultura di minoranza. (Una coercizione molto più grave da cui è ancora più ovvio che la persona dovrebbe essere tutelata è quella della clitoridectomia.)

Queste sono questioni estremamente delicate. La subordinazione delle donne – che traspare chiaramente dal loro isolamento, nonché dall'occultamento e dalla mutilazione concreta del loro corpo – non mira solo a consolidare i diritti di proprietà patriarcali: ha a che fare anche con la riproduzione culturale o religiosa, di cui le donne vengono considerate gli agenti più affidabili. Storicamente gli uomini sono entrati nella più vasta vita pubblica degli eserciti, dei tribunali, delle assemblee e dei mercati, sicché essi sono sempre potenziali agenti di novità e di assimilazione. Ebbene, come l'ambiente rurale conserva la cultura nazionale meglio di quello urbano, così la sfera privata o domestica la tutela più efficacemente della vita pubblica. Ciò equivale a dire che, di norma, essa sopravvive meglio tra le donne che tra gli uomini. La tradizione si trasmette con le cantilene delle madri, con le preghiere che queste bisbigliano, con gli abiti che fanno, con i cibi che preparano, con i riti e i costumi domestici che insegnano. Qualora le donne entrassero nella sfera pubblica, come potrebbe ancora avvenire questa trasmissione? Se questioni come l'uso di copricapo tradizionali nelle scuole pubbliche hanno suscitato opposizioni così fiere, è perché l'istruzione è il primo punto di accesso a una cultura.

Quando una cultura o una religione tradizionale incontra lo stato nazionale o la società di immigrati, l'argomento che viene proposto dai tradizionalisti è il seguente: «Tu sei tenuto a tollerare la nostra comunità e le sue pratiche. A fronte di questo tuo dovere, non puoi negarci il controllo sui nostri bambini (e in particolare sulle nostre bambine) – altrimenti di fatto non ci tolleri». La tolleranza implica il diritto alla riproduzione della comunità di appartenenza. Ma questo diritto, se esiste, è in conflitto con i diritti dei singoli cittadini – diritti che un tempo erano un'esclusiva degli uomini, e che quindi non erano così pericolosi, ma che ora sono stati estesi alle donne. Alla lunga sembra inevitabile che i diritti individuali prevalgano, giacché quella dell'uguale condivisione della cittadinanza è la norma fondamentale dello stato nazionale e della società di immigrati. La riproduzione della comunità quindi sarà meno certa o, almeno, si realizzerà mediante processi che producono risultati meno uniformi. I tradizionalisti dovranno imparare a tollerare se stessi, ossia le differenti versioni della loro cultura o della loro religione. Ma finché non avranno imparato a farlo, è lecito aspettarsi una lunga serie di reazioni «fondamentalistiche» imperniate il più delle volte su questioni legate al sesso delle persone.

Le guerre innescate dal problema dell'aborto negli Stati Uniti danno un'idea delle caratteristiche di questa politica reazionaria. Guardando le cose dal punto di vista dei fondamentalisti, la questione morale è se la società tollererà l'uccisione dei bambini nell'utero della madre. La questione politica, invece, ha per entrambi i punti di vista

un interrogativo diverso: chi controllerà i luoghi della riproduzione? L'utero è solo il primo di questi luoghi; a esso succedono immediatamente la famiglia e la scuola che,
come abbiamo visto, sono già materia di discussione. Quali differenze culturali resteranno da tollerare una volta che
queste divergenze siano state risolte, come alla fine av-
verrà, a favore dell'autonomia delle donne e dell'uguaglianza dei sessi? Se i tradizionalisti hanno ragione, non re-
sterà più nulla. Ma la cosa è altamente improbabile. L'u-
guaglianza sessuale assumerà forme diverse non solo in
tempi e luoghi diversi, ma anche nello stesso tempo e nello stesso luogo in diversi gruppi di persone, e alcune di
queste forme risulteranno essere coerenti con le differenze culturali. Può anche accadere che gli uomini giochino
un ruolo più importante nel mantenere e nel riprodurre le
culture che affermano di apprezzare.

Religione

Negli Stati Uniti, e in generale in Occidente, la maggior
parte degli individui crede che la tolleranza religiosa sia
una faccenda semplice. Quando sentono parlare di guerre di religione in regioni vicine (per esempio, in Irlanda e
in Bosnia) o lontane (per esempio, nel Medio Oriente e nel
Sud-est asiatico), hanno reazioni di incredulità e incom-
prensione. In quei paesi la religione o è stata contaminata
da componenti etniche e nazionalistiche o si è caricata di
istanze estremistiche, fanatiche e quindi (ai nostri occhi)
insolite. Non è forse dimostrato che la libertà di culto e di
associazione e la neutralità dello stato contribuiscono a di-

sincentivare le differenziazioni religiose? E questi princìpi del pluralismo americano non sono tali da scoraggiare le interferenze reciproche e da favorire una coesistenza felice? Da noi gli individui sono liberi di credere a ciò che vogliono, di associarsi ai propri correligionari e di frequentare la chiesa che preferiscono – come anche di non credere a ciò che non li convince, di allontanarsi dalla chiesa che avevano scelto e così via. Che cosa si può desiderare di più? Come non riconoscere in tutto ciò il paradigma stesso del regime di tolleranza?

In realtà, naturalmente, di regimi, possibili o reali, ne esistono anche altri: il sistema dei *millet* era stato espressamente concepito per le comunità religiose e le confederazioni di solito mettono insieme gruppi etnici o religiosi diversi. Ma il modello oggi dominante è quello della tolleranza dei singoli credenti, ossia quello messo a punto per la prima volta nell'Inghilterra del Seicento e poi esportato oltre Atlantico. Dobbiamo quindi esaminare con attenzione alcune complicazioni di questo modello. Le questioni storicamente e politicamente importanti che intendo considerare qui sono due: la prima è quella della persistenza, ai margini delle società di immigrati e degli stati nazionali moderni, di gruppi religiosi che chiedono un riconoscimento per il gruppo come tale e non per gli individui che lo compongono; la seconda è quella del permanere di domande di tolleranza e di intolleranza «religiosa» per una quantità di pratiche sociali che vanno al di là del culto e dell'associazione.

Una delle ragioni per cui la tolleranza funziona così facilmente in un paese come gli Stati Uniti è che, al di là delle divergenze degli individui, le chiese e le congregazioni da essi fondate sono per lo più molto simili l'una all'altra. La tolleranza del Seicento è stata innanzitutto un processo di reciproco adattamento tra protestanti. E negli Stati Uniti, dopo un primo tentativo di costituire una sorta di «commonwealth religioso» nel Massachusetts, il regime di tolleranza in via di espansione ha manifestato la tendenza a «protestantizzare» i gruppi che comprendeva. Cattolici ed ebrei americani gradualmente finirono per assomigliare sempre meno ai cattolici e agli ebrei degli altri paesi: la comunità allentò il proprio controllo sugli individui, le parole delle rispettive gerarchie perdettero un po' della loro autorevolezza, e gli individui incominciarono ad affermare la propria indipendenza religiosa, a prendere le distanze dalla comunità e a celebrare matrimoni misti; la tendenza alla frammentazione, già emersa agli inizi della Riforma, divenne una caratteristica generale della vita religiosa americana. La tolleranza favorì l'emergere delle differenze, ma produsse altresì l'accettazione da parte dei vari gruppi del modello di adattamento tipico dei protestanti, e questo rese molto più facile la coesistenza.

Alcuni gruppi, però, resistettero. È il caso di certe sette protestanti decise a evitare la «dissidenza dal dissenso» (ossia, se così si può dire, a impedire il formarsi del terreno di coltura da cui esse stesse erano nate), nonché di alcune fazioni ortodosse all'interno delle comunità religiose tradizionali. Naturalmente penso di nuovo agli esempi già menzionati sopra degli amish americani e degli hasidim. Il regime di tolleranza favorì anche l'insediamento di questi gruppi, sia pure solo in posizione marginale. Permise loro di isolarsi e scese a compromessi su questioni critiche come la scuola pubblica. Agli amish, per esempio, fu consentito a lungo di istruire i bambini in famiglia; e quando alla fine fu imposto loro, prima dallo stato della Pennsylvania e poi dalla Suprema Corte (in relazione a un caso del Wisconsin), di mandare i bambini alla scuola pubblica, fu permesso loro di sospendere la frequenza in anticipo rispetto all'obbligo scolastico sancito dalla legge[10]. In via di principio, a essere tollerata fu una serie di scelte individuali compiute in generazioni successive: la scelta di far parte della congregazione degli amish e di praticare il culto alla loro maniera. In pratica, però, oggetto reale di tolleranza furono la comunità degli amish globalmente considerata e il suo controllo coercitivo sui bambini (solo in parte mitigato dalla frequenza della scuola pubblica). È in ragione di questa (forma di) tolleranza che per i figli degli amish noi ammettiamo un'educazione alla convivenza civile più breve di quella che imponiamo agli altri bambini americani. Questo compromesso è giustificato in parte dalla marginalità degli amish e in parte dal fatto che essi la accettano, nel senso che sono decisi a vivere ai margini della società americana rinunciando a ogni forma di proselitismo al di fuori del proprio gruppo. Altre sette religiose ugualmente marginali hanno conservato un controllo analogo sui figli, praticamente senza contestazioni da parte dello stato liberale.

La caratteristica più interessante delle prime forme americane di tolleranza è l'esenzione dal servizio militare dei membri di certe sette protestanti di cui erano note le convinzioni pacifiste[11]. Oggi l'obiezione di coscienza è un diritto individuale, anche se la prova di sincerità che le autorità politiche sono maggiormente disposte a riconoscere resta l'appartenenza a quelle sette. Originariamente, però, essa fu di fatto un diritto di gruppo. Ancora oggi, comunque, le molte forme di rivendicazione avanzate per ragioni di coscienza – il rifiuto di giurare, di far parte di una giuria giudicante, di frequentare la scuola pubblica e di pagare le tasse, nonché le richieste di matrimonio poligamico, di sacrificio animale, di uso rituale delle droghe e così via – traggono tutta la legittimità che hanno dal fatto di essere pratiche religiose, componenti di un modo di vita collettivo. Se venissero presentate in forma esclusivamente individuale, esse perderebbero ogni legittimità, anche nel caso in cui coloro che le avanzano insistessero che la loro visione di ciò che si deve, o non si deve, fare è una co-conoscenza (una co-scienza) che ciascuno condivide con il proprio Dio.

Le pratiche e i divieti delle minoranze religiose, a parte l'associazione e il culto, vengono tollerate o non tollerate a seconda della loro visibilità o notorietà e del livello di sdegno che causano nella maggioranza. Sul piano pratico sono possibili molti adattamenti e compromessi sia negli stati nazionali che nelle società di immigrati. Gli uomini e le donne che chiedono alle autorità di poter fare una cosa o l'altra, in quanto voluta dalla loro religione, possono vedersi accordare il permesso richiesto, anche se nessuno l'ha mai avuto, soprattutto se promettono di farla di nascosto. I capi delle comunità che difendono di fronte alle autorità il proprio potere coercitivo come necessario alla sopravvivenza delle comunità stesse possono vedersi accordare il permesso di esercitarlo, alla sola condizione di rispettare alcuni vincoli liberali. Ma la tendenza costante, ancorché non sempre ugualmente forte, è verso il modello individualistico della comunità concepita alla stregua di una libera assemblea in cui è possibile entrare e uscire, e nessuno pretende di plasmare, né può plasmare, veramente la vita dei partecipanti.

Nello stesso tempo, negli Stati Uniti d'America questo regime di tolleranza viene attaccato da gruppi appartenenti alla maggioranza (cristiana) che non hanno nulla da eccepire sulla libertà di assemblea o di culto, ma temono di perdere il controllo sociale. Disposti a tollerare le religioni minoritarie (e quindi a farsi assertori della libertà religiosa), essi non hanno tuttavia nessuna tolleranza per la libertà personale al di fuori dei luoghi di culto. Se le comunità settarie tendono a controllare il comportamento dei loro membri, gli esponenti più estremisti delle maggioranze religiose cercano di controllare il comportamento di tutti, e ciò in nome di una supposta tradizione comune (per esempio, ebraico-cristiana), dei «valori della famiglia», o delle loro personali certezze al riguardo del giusto e dell'ingiusto. Tutto ciò naturalmente costituisce un esempio di intolleranza religiosa. Rappresenta, comunque, un segno del parziale successo del regime di tolleranza il fatto che l'antagonismo sia diretto non contro particolari religioni di minoranza, ma contro l'atmosfera di libertà creata dal regime nella sua globalità.

Indubbiamente in questa atmosfera la tolleranza fiorisce – e anzi raggiunge quella che io ho descritto come la sua forma più significativa – ma almeno la tolleranza religiosa non dipende da essa. Moltissime restrizioni alla libertà personale – per esempio, la proibizione dell'aborto, la censura di libri e riviste (o dei testi del ciberspazio), le discriminazioni a danno degli omosessuali, l'esclusione delle donne da certe occupazioni e così via – sono prodotti dell'intolleranza religiosa, ma nello stesso tempo sono del tutto compatibili con la tolleranza religiosa, cioè con l'esistenza di una molteplicità di chiese e di congregazioni i cui membri godono della più completa libertà di culto. La contraddizione non è tra tolleranza e restrizioni; essa si radica nell'idea stessa di tolleranza religiosa, giacché virtualmente tutte le religioni tollerate mirano a restringere quella libertà individuale che pure, almeno per i liberali, costituisce il fondamento dell'idea. Molte religioni sono organizzate in forme che consentono loro di controllare il comportamento, quindi chiedere loro di rinunciare a questo obiettivo o ai mezzi necessari al suo conseguimento è come sollecitare una trasformazione di cui non siamo ancora in grado di descrivere lo sbocco finale.

Di comunità religiose interamente libere ne esistono già, naturalmente, ma esse non sembrano soddisfare tutti i loro fedeli e forse nemmeno la maggioranza di essi. Di qui il riemergere di una religiosità settaria e faziosa e delle teologie fondamentalistiche che si oppongono al regime di tolleranza prevalente. Ammettendo che la loro opposizione abbia la peggio (che è poi lo stesso assunto avanzato nei paragrafi precedenti), che cosa accadrà? Qual è il potere di interdizione e la forza organizzativa di una fede puramente volontaria?

Istruzione

Il tema della scuola è già emerso più volte in questo saggio, in particolare nel corso della trattazione del problema del genere e della riproduzione culturale. C'è, però, una questione importante che devo affrontare qui (e di nuovo, più oltre, nel paragrafo successivo), quella della riproduzione dello stesso regime di tolleranza. Non è forse vero che il regime di tolleranza deve insegnare a tutti i bambini, indipendentemente dal gruppo di appartenenza, il valore delle sue istituzioni costituzionali e le virtù dei suoi fondatori, dei suoi eroi e dei suoi leader attuali? E questo insegnamento, per sua natura più o meno unitario, non è destinato a interferire o almeno a competere con la socializzazione dei bambini all'interno delle varie comunità culturali? Ovviamente la risposta è affermativa in entrambi i casi. Tutti i regimi politici devono insegnare i propri valori e le proprie virtù, e tale insegnamento è inevitabilmente destinato a entrare in competizione con tutto ciò che ai bambini viene insegnato dai genitori e dalle comunità di appartenenza. Ma in una situazione di tolleranza reciproca (e nelle difficoltà che essa comporta) tale competizione è, o può essere, una lezione utile. Gli insegnanti dello stato devono tollerare l'istruzione religiosa impartita al di fuori delle loro scuole e gli insegnanti di religione devono tollerare l'istruzione organizzata dello stato per ciò che concerne l'educazione civica, la storia politica, le scienze naturali e le altre discipline laiche. A quanto è dato presumere, è nella pratica – per esempio, nell'esperienza dell'opposizione dei creazionisti agli insegnamenti dello stato in campo biologico – che i bambini imparano qualcosa su come funziona la tolleranza e prendono contatto con le sue inevitabili tensioni.

I regimi che avanzano esigenze più limitate nei confronti del processo educativo sono gli imperi multinazionali. La loro storia politica, fatta per lo più di guerre di espansione, probabilmente non ispirerebbe sentimenti di fedeltà nei popoli conquistati, sicché viene esclusa dal curriculum di studi ufficiale (salvo fare la propria comparsa nelle vicende di eroica resistenza alla sconfitta proprie delle singole comunità). Ciò che viene insegnato più frequentemente è la lealtà verso l'imperatore, rappresentato come sovrano di tutti i suoi popoli. Al centro dell'educazione ufficiale, non c'è tanto l'impero, quanto l'imperatore; l'educazione ufficiale, infatti, ha spesso un chiaro carattere nazionale, mentre i singoli leader possono almeno fingere di elevarsi al di sopra delle loro origini nazionali. A volte essi mirano a una trascendenza radicale, alla deificazione, che li libera da un'identità particolaristica. Ma, nel momento in cui l'imperatore deificato esige di essere adorato dai sudditi (come accadde quando alcuni imperatori romani cercarono di far collocare statue che li rappresentavano nel tempio di Gerusalemme), siamo nondimeno di fonte a un esempio di intolleranza religiosa. La scuola è la cornice ideale per l'immagine dell'imperatore: qui egli può guardare benevolmente dall'alto i bambini impegnati nello studio, indipendentemente dalle cose che studiano, dalla lingua che parlano e dalle autorità locali o comunitarie che presiedono all'istituzione.

Le confederazioni possono optare anch'esse per un curriculum minimalista imperniato da un lato su una storia spesso ampiamente purgata della coesistenza e della collaborazione delle varie comunità e dall'altro sulle istituzioni che le hanno rese possibili. Quanto più la coesistenza si protrae nel tempo, tanto più è probabile che la comune identità politica assuma un contenuto culturale proprio – come è chiaramente avvenuto in Svizzera – e diventi competitiva nei confronti delle identità delle varie comunità che la compongono. Tuttavia a essere insegnata è ancora una volta, almeno in via di principio, una storia politica in cui queste comunità hanno un posto riconosciuto e uguale.

La situazione è ovviamente molto diversa negli stati nazionali con minoranze nazionali, in cui una comunità ha una posizione di privilegio rispetto alle altre. Questo tipo di regime è molto più centralizzato degli imperi e delle federazioni e quindi (soprattutto se ha un'organizzazione democratica) ha maggiormente bisogno dei suoi cittadini, cioè di uomini e donne leali, fedeli e competenti che abbiano dimestichezza con lo stile della nazione dominante. Le scuole di stato mireranno a produrre cittadini di questo tipo. Così agli arabi che vivono in Francia,

per esempio, si insegnerà la lealtà verso lo stato francese e la sua politica, la competenza nelle pratiche e nei modi espressivi della cultura politica francese e la conoscenza della storia politica e delle strutture istituzionali francesi. In generale, genitori e bambini arabi sembrano accettare questi obiettivi educativi; come abbiamo visto, essi hanno cercato di esprimere la propria cultura araba e
musulmana solo con il simbolismo degli abiti; non hanno
preteso di alterare il corso di studi. A quanto sembra, si
accontentano di tener viva la propria cultura nelle scuole
non statali, nei luoghi di culto e in famiglia. Ma la cittadinanza francese è una dimensione estremamente importante, con implicazioni che vanno ben al di là della sfera
politica propriamente detta. Il suo potere di integrazione
e di assimilazione ha avuto modo di manifestarsi nel corso di molti anni e deve apparire a molti genitori, se non ai
loro figli, una vera e propria minaccia culturale. Quanto
più un paese come la Francia diventa (simile a) una società di immigrati, tanto più questa minaccia susciterà resistenze.

Per comprendere quale forma possano assumere tali
resistenze, basterà pensare agli scontri sul problema scolastico verificatisi in una società di immigrati come gli Stati Uniti. Qui si insegna ai bambini che essi sono cittadini
di una società tollerante e pluralistica – dove, tra le cose
che si tollerano, c'è anche la loro scelta di appartenenza e
di identità culturale. Per lo più, naturalmente, essi sono
già «identificati» in virtù delle «scelte» dei loro genitori o,
come avviene nei casi di identità razziale, in virtù della lo-

ro collocazione in un sistema sociale di differenziazione. Ma in quanto americani essi hanno il diritto di fare scelte ulteriori e il dovere di tollerare le identità esistenti e le scelte ulteriori dei loro simili. Questa libertà e questa tolleranza costituiscono quello che possiamo chiamare liberalismo americano.

Le scuole americane insegnano ai bambini provenienti da tutti i gruppi etnici religiosi e razziali dell'America a essere liberali in questo senso e quindi a essere americani – così come in Francia le scuole insegnano ai loro alunni a essere repubblicani e quindi francesi. Ma il liberalismo americano è culturalmente neutrale in un senso in cui il repubblicanismo francese non può esserlo. Questa differenza sembra discendere da una diversità delle due dottrine politiche di partenza: il repubblicanismo, nella teorizzazione di Rousseau, esige una robusta base culturale che valga a sostenere elevati livelli di partecipazione tra i cittadini; il liberalismo, che è meno esigente, può lasciare più spazio alla vita privata e alle differenze culturali. Ma la sopravvalutazione di queste differenze è un pericolo da cui bisogna guardarsi[12]. Il liberalismo è anch'esso una cultura politica non puramente formale le cui radici affondano perlomeno nella storia protestante e inglese. Il riconoscimento del fatto che le scuole americane riflettono questa storia e non possono essere neutrali nei suoi confronti ha indotto alcuni gruppi non protestanti e non inglesi a invocare un'educazione multiculturale – cioè, presumibilmente, non una scuola che escluda la storia liberale, ma una scuola che ne comprenda anche altre.

È opinione corrente e corretta che scopo del multiculturalismo è quello di istruire reciprocamente i bambini sulla cultura dei loro compagni di scuola, di portare in classe il pluralismo della società di immigrati. Mentre la versione precedente della neutralità, concepita a torto o a ragione come preservazione culturale, mirava semplicemente a trasformare tutti i bambini in americani (cioè a farli assomigliare il più possibile a dei protestanti inglesi), il multiculturalismo tende a riconoscere in essi gli americani (con un'identità duale) che essi sono e a indurli a comprendere e ad ammirare la loro diversità. Non c'è ragione di pensare che questa comprensione e questa ammirazione siano in contrasto con i requisiti della cittadinanza liberale, e ciò anche se è importante sottolineare, ancora una volta, come la cittadinanza liberale sia meno esigente di quella di uno stato nazionale repubblicano.

A volte, tuttavia, il multiculturalismo propone anche un programma di tipo diverso, orientato a utilizzare le scuole di stato per rafforzare le identità minacciate o scarsamente apprezzate. L'obiettivo non è di insegnare agli altri bambini che cosa significhi essere diversi in un certo modo, ma di insegnare ai bambini considerati diversi come essere diversi nel modo giusto. Perciò questo programma è illiberale, se non altro perché rafforza le identità consolidate o presunte e non ha nulla da spartire né con la reciprocità né con la scelta individuale. Probabilmente, esso comporta anche qualche forma di separazione educativa, come avviene nella teoria e nella pratica dell'afrocentrismo, che è un modo per assicurare ai bambini neri presenti nelle scuole di stato ciò che la chiesa assicura ai bambini cattolici nelle scuole private. Attualmente il pluralismo esiste solo nel sistema globalmente considerato, non nell'esperienza dei bambini singoli; e lo stato deve scendere in campo e obbligare le varie scuole a insegnare, in aggiunta a ciò che già insegnano, i valori del liberalismo americano. L'esempio cattolico ci dice che una società di immigrati può riuscire a realizzare un programma di questa natura – almeno se il grosso dei suoi studenti è inserito in classi miste o eterogenee. Al contrario, sulla possibilità di tener viva una politica liberale, qualora tutti i bambini abbiano ricevuto una versione (la «loro» versione) di un'educazione confessionale cattolica o afrocentrica, permangono più dubbi. Il successo qui dipenderà dagli effetti dell'educazione extrascolastica: dall'esperienza quotidiana delle comunicazioni di massa, del lavoro e dell'attività politica.

Religione civile

Proviamo a pensare a ciò che si insegna nelle scuole di stato sui valori e sui meriti dello stato come alla rivelazione laica di una «religione civile» (l'espressione è di Rousseau)[13]. A parte l'insegnamento della natura divina dell'imperatore, questa rivelazione per lo più è religiosa solo per analogia, ma questa analogia merita di essere approfondita. Quella di cui stiamo discorrendo, infatti, come mette in luce l'esempio della scuola, è una «religione» che, lungi dal poter essere separata dallo stato, è il credo stesso dello stato, un fattore cruciale alla sua riproduzione e alla sua stabilità nel tempo. La religione civile è formata dall'insieme delle dottrine politiche, delle narrazioni storiche, delle figure esemplari, delle occasioni celebrative e dei riti della memoria mediante i quali lo stato si imprime nelle menti dei suoi membri, specialmente dei più giovani e di quelli di più recente acquisizione. Come potrebbe esistere una pluralità di tali insiemi in un singolo stato? Certamente le religioni civili possono tollerarsi reciprocamente solo nella società internazionale, non entro i confini di un solo regime interno.

Di fatto, però, nella società internazionale la religione civile spesso favorisce l'intolleranza incoraggiando l'orgoglio particolaristico per la vita che si conduce da questa parte del confine e il sospetto o la diffidenza per la vita che si conduce dall'altra parte. I suoi effetti all'interno dello stato, invece, possono essere benefici in quanto essa assicura (a tutti coloro che vivono da questa parte del confine) un'identità comune di base, in tal modo rendendo meno minacciosa la differenziazione successiva. Certamente la religione civile, come educazione di stato, a volte entra in competizione con l'appartenenza al gruppo: è il caso dei repubblicani e dei cattolici francesi dell'Ottocento, nonché dei repubblicani e dei musulmani di oggi. Ma le religioni civili, non avendo di solito una teologia, possono anche essere concilianti verso le differenze, specialmente verso le differenze religiose. A dispetto dei particolari conflitti storici verificatisi negli anni della rivoluzione, quindi, non c'è motivo di pensare che un cattolico non possa essere anche un repubblicano convinto.

La probabilità che la tolleranza funzioni bene è tanto più elevata quanto meno la religione civile assomiglia a una... religione. Se, per esempio, Robespierre fosse riuscito a legare la politica repubblicana a un deismo pienamente elaborato, tra repubblicani e cattolici (ma lo stesso si può dire di musulmani ed ebrei) avrebbe potuto crearsi una spaccatura permanente. Ma il suo fallimento è emblematico: quando i credo politici si caricano sulle spalle il bagaglio delle credenze religiose che considerano vere lo fanno sempre a proprio rischio e pericolo. Lo stesso accade allorché ciò che si assume è il bagaglio delle credenze antireligiose considerate valide. L'ateismo militante ha reso i regimi comunisti dell'Europa orientale non meno intolleranti – e quindi politicamente deboli – di come avrebbe fatto qualsiasi altra ortodossia: questa professione di fede, infatti, li ha resi incapaci di incorporare porzioni consistenti dei loro cittadini. Per lo più le religioni civili si accontentano saggiamente di una religiosità vaga, inarticolata ed estremamente irenica, cioè di una religione che è fatta più di narrazioni e di feste che di credenze stabili e chiare.

Naturalmente, può accadere che i gruppi religiosi ortodossi contestino appunto questo conciliante irenismo, nel timore che esso renda i loro figli tolleranti verso gli errori religiosi e lo scetticismo dei laici. È difficile stabilire come si debba rispondere a queste preoccupazioni; la speranza è che esse siano giustificate e che le scuole pubbliche, nonché le narrazioni e le feste della religione civile, abbiano esattamente gli effetti che i genitori ortodossi temono. I genitori hanno infatti la facoltà di ritirare i propri

figli dalle scuole pubbliche e di sottrarsi alla religione civile mediante una qualche forma di isolamento settario.
Non ha invece alcun senso, in una società di immigrati come gli Stati Uniti, sostenere che il rispetto per la diversità
impedisce di insegnare il rispetto per la diversità. Una forma legittima di questa educazione liberale è certamente
quella di offrire narrazioni sulla storia delle diversità e di
celebrarne le ragioni di fondo[14].

Negli stati nazionali narrazioni e celebrazioni saranno
di diverso tipo: emergeranno dall'esperienza storica della
nazione maggioritaria e insegneranno i suoi valori. Così la
religione civile rende possibile un'ulteriore differenziazione all'interno della maggioranza – su basi religiose, terri-
toriali e di classe – ma non getta nessun ponte in direzione dei gruppi di minoranza. Determina invece il criterio
per l'assimilazione individuale: per esempio suggerendo
che, per diventare francesi, occorre essere in grado di immaginare che i propri antenati abbiano preso parte all'as-
sedio della Bastiglia o, perlomeno, che l'avrebbero fatto,
nel caso si fossero trovati a Parigi al momento giusto. Ma
una minoranza nazionale dotata di una religione civile
propria può nondimeno essere tollerata, a condizione che
celebri i propri riti in forma privata. E i suoi membri possono diventare cittadini e far propri i modi, poniamo, della cultura francese senza alcun «investimento immaginati-
vo» nella «francesità».

La comune identità promossa da una religione civile è
particolarmente importante in una società di immigrati,
dove, in caso contrario, ci sarebbero identità molto diffe-

renti. Negli imperi multinazionali, ovviamente, le identità sono ancora più eterogenee, ma al loro interno da un lato esistono fattori unificanti rappresentati dalla figura dell'imperatore e dalla comune fedeltà che egli pretende, dall'altro l'identità comune è meno importante. Le società di immigrati del nostro tempo sono anche stati democratici e per la loro salute politica dipendono dal fatto che tra i loro cittadini ci sia almeno un certo grado di impegno e di spirito di iniziativa. Ma la religione civile locale, per promuovere e celebrare queste qualità, deve imparare a convivere non solo con altre religioni, ma anche con altre religioni civili. I suoi protagonisti più entusiasti, naturalmente, aspireranno a rimpiazzare gli altri: le campagne di americanizzazione degli inizi del nostro secolo, per esempio, avevano esattamente questo obiettivo. Forse, anzi, l'effetto a lungo termine dell'esperienza americana sarà proprio questo. Probabilmente si può dire che ogni società di immigrati è uno stato nazionale in formazione e che la religione civile è uno degli strumenti di questa formazione. Nondimeno, una campagna che perseguisse questo disegno sarebbe un atto di intolleranza, una scelta suscettibile di provocare resistenze e di moltiplicare le divisioni tra i diversi gruppi (se non anche all'interno dei gruppi).

Il risultato, comunque, è che una religione civile come l'americanismo può convivere tranquillamente con quelle che potremmo considerare pratiche di una religione civile alternativa da parte dei suoi stessi cittadini. Nella vita comune di irlandesi-americani, afro-americani ed ebreiamericani, le narrazioni e le celebrazioni proprie dell'americanismo – il giorno del Ringraziamento, il *Memorial Day* e il 4 luglio – possono coesistere con narrazioni e celebrazioni molto diverse. Qui la differenza non comporta contraddizione. I contrasti sono molto più facili e frequenti tra le credenze che tra le narrazioni; né si può dire che una celebrazione neghi, cancelli o contraddica un'altra. Anzi, assistere alle celebrazioni private, comunitarie o familiari dei nostri concittadini è molto più facile se sappiamo che essi, in qualche altra circostanza, parteciperanno pubblicamente anche alle nostre. Così la religione civile facilita la tolleranza di parziali differenze – o ci incoraggia a pensare che si tratti di differenze solo parziali. Noi siamo americani ma anche qualche altra cosa, e questo qualcos'altro che noi siamo è sicuro in quanto siamo americani.

Naturalmente ci sono, o possono esserci, religioni civili di minoranza, di derivazione teologica o ideologica, che contraddicono i valori americani; esse però non sono mai venute molto allo scoperto nella vita pubblica. Allo stesso modo, non è difficile immaginare un americanismo più intollerante: per esempio una versione che fosse definita in termini cristiani, legata in via esclusiva e perfino razzista alle sue origini europee o dotata di un contenuto politico rigido e limitato. Americanismi del genere sono esistiti in passato (e da essi ha preso origine la nozione di «attività anti-americane» ispirata dalla legislazione anticomunista degli anni Trenta) e continuano a esistere anche oggi, ma nessuno di essi rappresenta la versione dominante della religione civile americana. La società americana è una collezione di individui con identità parziali molteplici – e ciò non solo in via di diritto, ma anche di fatto. Naturalmente spesso le religioni hanno cercato di negare queste realtà e le religioni civili potrebbero tentare di fare lo stesso. Forse è vero anche che il modello di pluralismo che contraddistingue gli Stati Uniti e altre società di immigrati è instabile e mutevole. Ma quand'anche fosse così, un *Kulturkampf* non sarebbe certo la risposta migliore a questa situazione. Il successo di una religione civile è più probabile se essa si adatta alle molteplici identità degli uomini e delle donne che aspira a coinvolgere, piuttosto che opporsi a esse. Il suo obiettivo, in fin dei conti, non è la conversione radicale, ma solo la socializzazione politica.

Tollerare gli intolleranti

Dobbiamo tollerare gli intolleranti? Questo interrogativo viene spesso presentato come il problema centrale e più difficile della teoria della tolleranza. Ma questo non è vero, giacché la maggior parte dei gruppi che vengono tollerati in tutti e quattro i regimi interni già presentati sono di fatto intolleranti. Ci sono significative «presenze» delle quali essi non sono né entusiasti né curiosi e di cui non riconoscono i diritti – presenze, cioè, cui non sono né indifferenti né rassegnati. Negli imperi multinazionali, le varie «nazioni» sono forse temporaneamente rassegnate: accettano di convivere sotto l'autorità dell'impero. Ma se si governassero da sole, non avrebbero nessuna ragione per rassegnarsi a questa condizione e alcune di esse in un modo o nell'altro certamente cercherebbero di mettere fine alla coesistenza. Questo fatto potrebbe costituire una buona ragione per negare loro un potere politico, ma non per rifiutarsi di tollerarle all'interno dell'impero. Lo stesso può dirsi delle confederazioni, dove la ragion d'essere stessa dell'assetto costituzionale è proprio quella di contenere la probabile intolleranza delle comunità associate.

Allo stesso modo, le minoranze degli stati nazionali e delle società di immigrati vengono tollerate, e devono esserlo, anche se è noto che loro connazionali o correligionari al potere in altri paesi sono brutalmente intolleranti. Queste minoranze non possono praticare l'intolleranza, per esempio, in Francia o in America: qui non possono molestare i loro vicini e perseguitare o reprimere gli anticonformisti e gli eretici che vivono in mezzo a loro. Hanno però la facoltà di scomunicarli o di ostracizzarli, nonché di pensare e di conclamare che essi saranno eternamente dannati o esclusi per sempre dalla felicità eterna; potranno altresì affermare che un altro gruppo qualsiasi di loro concittadini sta conducendo una vita che Dio respinge o che è totalmente incompatibile con la piena realizzazione dell'umanità. Va detto, anzi, che molti dei settari protestanti a favore dei quali inizialmente è stato concepito il moderno regime di tolleranza, e che per primi l'hanno fatto funzionare, hanno sempre professato e proclamato esattamente queste cose.

Lo scopo della separazione di chiesa e stato nei regimi moderni è quello di negare potere politico a qualsiasi autorità religiosa sulla base dell'assunto realistico che tutte quante sono, almeno potenzialmente, intolleranti. Se tale negazione sarà efficace, esse potranno imparare la tolleranza. Più probabilmente, impareranno a vivere come se possedessero questa virtù. Molti comuni credenti la possiedono già, in particolar modo nelle società di immigrati, dove inevitabilmente incontrano ogni giorno persone «diverse», sia della propria che di altre società. Ma, poiché anche queste persone hanno bisogno della separazione dei poteri, probabilmente la sosterranno politicamente come misura atta a proteggere loro stessi e tutti gli altri dal possibile fanatismo dei loro correligionari. Il rischio del fanatismo sussiste anche (nelle società di immigrati) tra gli attivisti e i militanti delle etnie; perciò anche l'etnia va tenuta separata dallo stato, e per le stesse ragioni.

La democrazia richiede anche un'altra separazione, spesso mal compresa: quella tra politica e stato. I partiti politici competono per conquistare il potere e combattono in vista della realizzazione di un programma che è, per così dire, espressione di un'ideologia. Ma il partito che vince, pur potendo tradurre la propria ideologia in un insieme di leggi, non può farne il credo ufficiale della religione civile; non può né celebrare il giorno della sua ascesa al potere con l'istituzione di una festa nazionale né introdurre nelle scuole pubbliche l'insegnamento della sua storia come corso obbligatorio né usare il potere dello stato per vietare le pubblicazioni o le assemblee degli altri partiti[15]. Questo è ciò che accade nei regimi totalitari e corrisponde esattamente all'imposizione da parte del potere politico di un'unica chiesa monolitica. Le religioni che sperano di poter avere questa sorte e i partiti che aspi-

rano a un controllo totale possono venire tollerati sia negli stati nazionali democratici liberali che nelle società di
immigrati, e di solito lo sono. Ma (come ho suggerito
all'inizio di questo saggio) è anche possibile impedire loro di prendere il potere e perfino di competere per la sua
conquista[16]. Nel loro caso tale esclusione significa che essi possono non solo permanere all'interno della società civile, ma anche predicare, scrivere e riunirsi – a condizione, però, di non aspirare ad altra esistenza che non sia
quella di una setta.

5.
Tolleranza moderna e postmoderna

I progetti moderni

Nelle pagine precedenti ho esplorato alcuni limiti della tolleranza, ma non mi sono ancora occupato dei regimi di intolleranza, ossia di ciò che di fatto sono molti imperi, stati nazionali e società di immigrati. In questi regimi non c'è tolleranza delle differenze, ma al contrario opera una spinta all'unità e all'uniformità. Nel caso dell'impero il centro mira a creare un'istituzione molto simile allo stato nazionale: le campagne di «russificazione» condotte nell'Ottocento dagli zar obbediscono proprio a questa logica. Nel caso degli stati nazionali, si intensificano le pressioni sulle minoranze e sugli immigrati, ponendo loro un *aut aut*: lasciarsi assimilare o andarsene! Nel caso della società di immigrati si interviene sul *melting pot* da cui è costituita, cercando di forgiare una nazionalità nuova (di solito costruita usando come stampo quella di qualche gruppo precedente di immigrati o di coloni). L'«americanizzazione» realizzata negli Stati Uniti all'inizio del ventesimo secolo è l'esempio di cui mi sono servito per illustrare quest'ultimo progetto – che in realtà è un tentativo di accogliere gli immigrati senza incorporare la differenza.

I programmi di questo tipo a volte riescono a mettere in ombra le differenze culturali e religiose, a volte, quando innescano vere e proprie persecuzioni, di fatto sortiscono l'effetto di rafforzarle: segnalano i membri dei gruppi di minoranza, li discriminano per la loro appartenenza al gruppo, li costringono a sostenersi reciprocamente, fanno nascere forti legami di solidarietà. Ciononostante né i leader né i militanti più impegnati sceglierebbero un regime di intolleranza[1]. Se avranno l'opportunità di far valere le proprie preferenze, cercheranno di realizzare una qualche forma di tolleranza individuale o collettiva: l'assimilazione dei singoli cittadini nel tessuto della popolazione o il riconoscimento del loro gruppo nella società nazionale o internazionale mediante il conferimento di qualche potere di autogoverno – autonomia regionale o funzionale, confederazione o addirittura sovranità statuale.

Queste due forme di tolleranza – l'assimilazione individuale e il riconoscimento del gruppo – possono considerarsi i progetti fondamentali della politica democratica della modernità. Di norma esse vengono pensate come reciprocamente esclusive: a essere liberati dalla persecuzione e dall'invisibilità sono o gli individui o i gruppi; e gli individui vengono liberati solo nella misura in cui abbandonano i loro gruppi. Di quest'ultima posizione ho già ricordato l'interpretazione di Sartre, che la fa risalire alla rivoluzione francese. I rivoluzionari hanno cercato innanzitutto di liberare gli uomini (e successivamente anche le donne) dalle antiche comunità e di promuovere il loro inserimento in una cerchia di diritti, e poi di insegnare a questi uomini (e a queste donne), divenuti titolari di diritti, i loro doveri di cittadinanza. Agli occhi dei rivoluzionari, tra l'individuo e il regime politico, cioè la repubblica dei cittadini francesi, c'è solo uno spazio vuoto atto a facilitare il passaggio dalla vita privata a quella pubblica e quindi a incoraggiare l'assimilazione culturale e la partecipazione politica.

I liberali e i democratici postrivoluzionari hanno lentamente imparato a valorizzare le associazioni intermedie che di fatto riempiono questo spazio sia come espressioni degli interessi e delle credenze individuali che come scuole di democrazia. Ma per le minoranze nazionali queste associazioni rappresentano anche una specie di patria in cui coltivare l'identità collettiva e resistere alle spinte all'assimilazione. I democratici liberali possono accettare sia la promozione dell'identità che la resistenza all'assimilazione, ma entro certi limiti, ossia fino al punto (dalla collocazione perennemente dibattuta) in cui le associazioni minacciano di reprimere gli individui o di compromettere la loro lealtà repubblicana. I cittadini della repubblica tollerano i membri delle minoranze riconoscendo loro la cittadinanza indipendentemente dalla loro religione e dal gruppo etnico di appartenenza, e rispettando i gruppi da essi formati, ma a condizione che questi siano, nel senso più pieno del termine, associazioni secondarie.

La politica di inclusione democratica è il primo progetto modernista. La politica della sinistra democratica negli ultimi due secoli può considerarsi una serie di battaglie per l'inclusione: a prendere d'assalto le mura della città borghese e ad abbatterle sono di volta in volta ebrei, operai, donne, neri e immigrati di ogni tipo. Nel corso della battaglia, essi formano partiti e movimenti molto forti nonché organizzazioni per la difesa e la valorizzazione collettiva. Ma quando entrano in città, lo fanno come individui.

L'alternativa all'entrata è la separazione, che rappresenta il secondo progetto modernista: si tratta di attribuire al gruppo come tale una voce, un posto e una politica propri. Qui obiettivo della lotta non è l'inclusione, ma la definizione di un confine. Slogan decisivo di questa lotta è l'«autodeterminazione», che implica il bisogno di un territorio o almeno di una serie di istituzioni indipendenti: da cui la domanda di decentramento, autonomia, separazione e sovranità. Tracciare confini giusti, non solo in termini geografici ma anche funzionali, è un'impresa di enorme difficoltà. In questo campo ogni decisione politica è destinata a essere estremamente combattuta. Tuttavia bisogna assolutamente arrivarci, se si vuole che i vari gruppi esercitino un controllo significativo sul proprio destino e che lo facciano con una certa sicurezza.

Questo processo è in atto anche oggi: gli antichi assetti imperiali si adattano alla realtà nuova, mentre il sistema internazionale moderno si estende sempre più, gli stati nazionali si moltiplicano, regioni, società particolari e autorità locali conseguono l'autogoverno. Si noterà che a essere riconosciuti e tollerati in questo secondo progetto sono sempre i gruppi e i loro membri, uomini e donne concepiti come dotati di un'identità esclusivamente o almeno fondamentalmente etnica o religiosa. Il processo dipende ovviamente dalla mobilitazione di queste persone, ma in realtà (a parte i casi di scontro prettamente militare) solo i loro leader sono realmente coinvolti in un confronto individuale che scavalca i confini esistenti. L'autonomia delle comunità conferma l'autorità delle élite tradizionali; la confederazione di solito assume la forma di un sistema di condivisione del potere da parte di quelle stesse élite; gli stati nazionali interagiscono per il tramite dei loro corpi diplomatici e dei loro leader politici. Per la massa dei membri del gruppo, a mantenere la tolleranza provvede la separazione, giacché queste persone si concepiscono come membri e aspirano ad associarsi prevalentemente tra loro. Esse sono convinte che «buoni confini fanno buoni vicini»[2].

Ma questi due progetti possono anche essere perseguiti contemporaneamente da gruppi diversi o addirittura da membri diversi del medesimo gruppo. Quest'ultima possibilità di fatto si realizza spesso: alcune persone cercano di evadere dai confini della propria appartenenza etnica o religiosa affermando di essere solo dei cittadini, mentre altre desiderano essere riconosciute e tollerate precisamente come membri di una comunità organizzata di tipo religioso o etnico. Individui determinati (o semplicemente eccentrici) che hanno rotto con le proprie radici comunitarie coesistono con uomini e donne legati a tali radici (o semplicemente soddisfatti della propria collocazione), che costituiscono la condizione dominante e cercano di promuoverla. I due progetti sembrano dunque in competizione tra loro. Che cosa dobbiamo preferire: la fuga individuale o il legame con il gruppo? Non c'è nessuna ragione per preferire stabilmente l'una o l'altra cosa; la scelta tra le due alternative va compiuta caso per caso, adottando soluzioni diverse a seconda dei gruppi e dei regimi (al riguardo è già stato proposto un certo numero di esempi). Essa, comunque, non può essere eliminata: a che cosa si sottrarrebbero gli individui, se venisse meno ogni legame con il gruppo? Come potrebbero inorgoglirsi di una fuga che non ha incontrato nessuna resistenza? E che persone sono, se non hanno dovuto combattere per diventare ciò che sono? La coesistenza di gruppi forti e di individui liberi, con tutte le difficoltà che comporta, è un tratto durevole della modernità.

Postmodernità?

I modelli di tolleranza appena presentati, tuttavia, preludono a un tipo diverso e, forse, a un progetto postmoderno. Nelle società di immigrati (e oggi anche negli stati nazionali sottoposti alla pressione dell'immigrazione), le persone hanno cominciato a fare esperienza di quella che potremmo chiamare una vita senza confini netti e senza identità precise e stabili. Le differenze si sono, per così dire, annacquate, sicché si incontrano dovunque, giorno dopo giorno. Gli individui si sottraggono alla rete dei loro legami particolaristici e si confondono liberamente con i membri della maggioranza, ma senza necessariamente assimilarsi a una comune identità. L'influenza che i gruppi esercitano sui loro membri è più blanda di quanto non sia mai stata, ma non può considerarsi svanita del tutto. Il risultato è il continuo mescolarsi di individui dall'identità ambigua, il moltiplicarsi dei matrimoni misti e quindi un marcato multiculturalismo, che si manifesta non solo nella società globalmente considerata, ma anche in un numero crescente di famiglie e di individui. Oggi la tolleranza comincia in famiglia, dove spesso ci tocca cercare la pace etnica, religiosa e culturale con coniugi, suoceri e figli – nonché con i nostri io divisi o compositi.

Questo tipo di tolleranza è particolarmente problematico nella prima generazione di famiglie miste e di io divisi, quando tutti ancora ricordano, e forse rimpiangono, una comunità più omogenea e una coscienza più unitaria. Il fondamentalismo rappresenta questo rimpianto in forma ideologica; la sua intolleranza, come ho già osservato, ha il proprio bersaglio polemico non tanto nelle altre ortodossie quanto nella confusione e nell'anarchia laico-secolare. L'incontro ravvicinato con la differenza, tuttavia, può essere fonte di turbamento anche per persone scevre da inclinazioni fondamentalistiche. Molte di esse, infatti, nutrono ancora sentimenti di lealtà o almeno di nostalgia per i gruppi con cui loro stesse, i loro genitori e i loro nonni (di parte materna o paterna) hanno legami storici.

Immaginiamo ora di spostarci più innanzi di qualche generazione lungo la strada della postmodernità: uomini e donne qui si sono liberati completamente da tali legami e sono impegnati a plasmare il proprio «io» a partire dai resti frammentari di culture e religioni antiche (come di qualsiasi altra cosa che il passato abbia lasciato loro). Le associazioni create da persone come queste, ossia da individui che si sono fatti e si stanno facendo da sé, probabilmente saranno poco più che alleanze temporanee esposte al rischio di andare in frantumi non appena si presenti qualcosa di più promettente. In questo quadro, tolleranza e intolleranza non sono destinate a essere rimpiazzate da simpatie e avversioni meramente personali? Le discussioni e i conflitti politici di un tempo su portata e misura della tolleranza non cederanno il passo ai melodrammi privati? In questa prospettiva è molto difficile stabilire che futuro avrà ciascun regime di tolleranza. Ai tic e alle idiosincrasie dei nostri discendenti postmoderni, a quanto credo, noi risponderemo di volta in volta con rassegnazione, indifferenza, stoicismo, curiosità ed entusiasmo. Ma poiché questi nostri simili – questi «estranei» – non si presenteranno secondo modelli riconoscibili, anche le nostre risposte saranno contingenti.

Il progetto postmoderno tronca alla radice ogni tipo di identità comune e di comportamento standard: è funzionale a una società in cui i pronomi plurali «noi» e «loro» (e perfino i pronomi misti «noi» e «me») non hanno un referente stabile; fa pensare alla perfezione stessa della libertà individuale. L'autrice bulgaro-francese Julia Kristeva, che è stata uno dei più interessanti teorici di questo progetto, ci invita a riconoscere un mondo di stranieri («giacché solo l'estraneità è universale») e a scoprire lo straniero che è in noi stessi. Oltre a proporre un argomento psicologico che qui devo trascurare, Kristeva riformula un vecchissimo argomento morale la cui prima versione è l'ingiunzione biblica: «Non opprimete lo stranie-

ro, poiché anche voi siete stati stranieri in terra d'Egitto».
L'autrice cambia il pronome, il tempo verbale e il riferimento geografico per il gusto di proporre una reiterazione contemporanea: non opprimiamo lo straniero, poiché siamo tutti stranieri su questa terra. Certamente, se riconosciamo l'alterità presente in noi, ci è più facile tollerare quella degli altri[3].

Tuttavia, se tutti sono stranieri, nessuno lo è. Se non abbiamo qualche esperienza forte dell'identità, non siamo nemmeno in grado di riconoscere l'alterità. Un'aggregazione di stranieri sarebbe tutt'al più un raggruppamento momentaneo, esistente solo in opposizione a qualche stabile comunità. Venendo meno tale comunità, verrebbe meno anche l'aggregazione. Immaginiamo una condizione in cui i pubblici ufficiali «tollerano» tutti gli stranieri postmoderni; il codice penale stabilirebbe i limiti della tolleranza e non servirebbe altro. Ma, in tal caso, la politica della differenza, la continua negoziazione dei rapporti fra i gruppi e dei diritti individuali, finirebbe per essere di fatto abolita.

Julia Kristeva cerca di descrivere uno stato nazionale in cammino, per così dire, verso questa condizione; e si serve della Francia (in considerazione della sua fedeltà alla tradizione illuministica) in quanto la considera un esempio del suo «risultato ottimale» – ciò che fa di lei uno di quegli immigrati ideali che possiedono un patriottismo di principio cui non giungono quasi mai nemmeno i nativi. La Francia all'apice della sua storia, scrive, è una società «in transizione» in cui le tradizioni nazionali restano «te-

naci», ma gli individui, almeno in qualche misura, possono determinare la propria identità e creare i propri rag-
gruppamenti sociali «affidandosi non al fato, ma alla luci-
dità del pensiero». Questo processo di autodeterminazione, continua Kristeva, dagli esiti «ancora imprevedibili»
ma ovviamente immaginabili, prelude a una «comunità
polivalente [...], a un mondo senza stranieri» – cioè anche
necessariamente a una Francia senza francesi (sicché il patriottismo dell'autrice bulgaro-francese, forse, è solo temporaneo)[4].

Nemmeno le più avanzate società di immigrati – dove
individui plasmatisi da sé e versioni individualizzate della
cultura e della religione hanno assunto un rilievo notevolmente più marcato che in Francia – possono dirsi «comunità polivalenti». Noi siamo ancora alla prima generazione: non viviamo sempre in un mondo di stranieri, né in-
contriamo la nostra reciproca estraneità solo individual-
mente. Al contrario continuiamo a sperimentare la differenza in forme collettive, in situazioni in cui i rapporti
personali devono essere assecondati dalla politica della
tolleranza. Diversamente da ciò che qualche metanarrati-
va grandiosa di stadi storici vorrebbe far credere, non è vero che il progetto postmoderno semplicemente soppianti
il modernismo. In realtà gli si sovrappone, ma senza in alcun modo cancellarlo. I confini esistono ancora, anche se
sono resi più confusi dal moltiplicarsi degli attraversa-
menti. Sappiamo ancora di essere questo o quello, ma questa conoscenza è incerta, giacché siamo anche questo *e*
quello. Di gruppi con un'identità forte ne esistono anco-

ra, né si può dire che manchino di esprimersi, ma la lealtà dei loro membri si misura per gradi lungo un continuum estremamente ampio, in cui un numero crescente di individui si colloca all'estremità più lontana (sicché il permanere di un certo numero di militanti all'altra estremità sembra stonato ai nostri giorni).

Questo dualismo di moderno e postmoderno esige che la differenza venga fatta oggetto di una doppia conciliazione: prima nelle singole versioni individuali e collettive e poi nelle versioni pluralistiche, diffuse e divise. Noi abbiamo bisogno di essere tollerati e protetti come cittadini dello stato e come membri di gruppi – e anche come stranieri a entrambe le cose. L'autodeterminazione deve essere contemporaneamente politica e personale – ossia due cose legate tra loro, ma non identiche. L'antica concezione della differenza, che lega gli individui ai loro gruppi autonomi o sovrani, incontrerà la resistenza di dissidenti e ambivalenti. Ma una concezione nuova ritagliata solo sui dissidenti incontrerà la resistenza di uomini e donne che ancora combattono per assorbire, praticare, elaborare, rivedere e trasmettere una comune tradizione religiosa o culturale. Così, almeno per ora, la differenza deve essere tollerata due volte – a livello personale e a livello politico – con una miscela variabile (nel senso che non deve essere necessariamente la stessa in entrambi i casi) di rassegnazione, indifferenza, stoicismo, curiosità ed entusiasmo.

Non sono certo, tuttavia, che queste due versioni della tolleranza siano moralmente o politicamente equivalenti. Gli io divisi della postmodernità sembrano vivere come

parassiti dei gruppi indivisi da cui provengono e che formano, per così dire, la base culturale della loro autofor-
mazione. Su che cosa avranno le idee chiare i soggetti di
Julia Kristeva se non sulle loro tenaci tradizioni? Quanto
più essi si allontaneranno da questa base culturale, tanto
meno dovranno rielaborarla. Il progetto postmoderno, se
considerato facendo astrazione dalla sua necessaria base
storica, non promette di produrre individui sempre più
superficiali e una vita culturale estremamente impoverita?
Così ci sono buone ragioni per scegliere di convivere per-
manentemente con i problemi di quella che ho chiamato
la prima generazione. La straordinaria libertà personale di
cui godiamo come stranieri e come possibili stranieri nelle società contemporanee «in transizione» è una cosa che
dobbiamo apprezzare. Ma nello stesso tempo abbiamo bisogno di modellare i regimi di tolleranza in modo che essi rafforzino i vari gruppi e, magari, addirittura incoraggi-
no gli individui a identificarsi fortemente con uno, o con
alcuni, di questi gruppi. La modernità, come ho argomentato, comporta una tensione durevole tra individuo e
gruppo, tra cittadino e membro del gruppo. La postmodernità implica una tensione ugualmente durevole con la
modernità stessa: tra cittadini e membri del gruppo da un
lato, e l'io diviso, lo straniero culturale, dall'altro. La libertà radicale non ha molto valore se si trova a operare in
un mondo che non le offre una resistenza significativa.

Ma se questo è vero, forse si può dire che la nostra epoca ha falsificato la mia precedente affermazione, e cioè che
la tolleranza funziona ugualmente bene qualsiasi atteggia-

mento si assuma sul continuum costituito da rassegnazione, indifferenza, stoicismo, curiosità ed entusiasmo. Rassegnazione, indifferenza o accettazione stoica bastano alla coesistenza solo per i gruppi che si autosostengono. L'assunto di tutti i regimi è stato sempre questo: gruppi religiosi, nazionali ed etnici semplicemente esistono ed esigono atteggiamenti di lealtà che, se mai devono essere modificati, devono esserlo nel senso di far posto al patriottismo e a una cittadinanza comune. Ma se i gruppi sono deboli e hanno bisogno di aiuto (come nel caso dell'America, di cui dirò nell'Epilogo), allora è necessaria una qualche miscela di curiosità ed entusiasmo. In assenza di questi ingredienti, non ci sarà nulla che spinga a dar loro l'aiuto di cui hanno bisogno. Gli individui liberi e divisi delle società democratiche non forniranno personalmente questo aiuto né autorizzeranno i propri governi a darlo, se non a condizione di riconoscere l'importanza dei gruppi (propri e altrui) nella formazione di individui come loro – se non a condizione di riconoscere che scopo della tolleranza non è, né è mai stato, di abolire «noi» e «loro» (e tanto meno «me»), ma di consentire a queste realtà di coesistere e di interagire pacificamente in modo continuativo. Gli io divisi della postmodernità complicano questa coesistenza, ma nello stesso tempo ne dipendono per la loro creazione e per la loro autoconsapevolezza.

Riflessioni
sul multiculturalismo americano

Ai nostri giorni, negli Stati Uniti operano due potenti forze centrifughe: una allenta i vincoli che tengono uniti interi gruppi di persone a un presunto centro comune, l'altra spinge gli individui all'isolamento; queste forze separatistiche hanno entrambe i loro critici, i quali sostengono che la prima è frutto di angusto e miope sciovinismo, la seconda di puro e semplice egoismo. Agli occhi di questi stessi critici, i gruppi separati assumono la fisionomia di tribù esclusive e intolleranti e gli individui separati quella di egoisti insopportabili, solitari e sradicati. Queste due tesi non sono né interamente sbagliate, né interamente corrette. I due movimenti appena segnalati devono essere considerati insieme e studiati sullo sfondo di una società di immigrati e di una politica democratica, cioè di due cose che, congiuntamente, consentono a queste forze centrifughe di agire. Se analizzate nel loro contesto, tali forze, a dispetto delle leggi della fisica, mi appaiono l'una il rimedio dell'altra.

La prima forza è un'articolazione sempre più marcata della differenza di gruppo. A essere nuova, ovviamente, è l'articolazione, giacché la differenza – il pluralismo o, se si preferisce, il multiculturalismo – è stata una caratteristica della vita americana fin dall'inizio. John Jay, in uno dei «Federalist Papers» (n. 2), descrive gli americani come un popolo che «discende dagli stessi antenati, parla la stessa lingua, professa la stessa religione, crede agli stessi princìpi di governo e ha maniere e costumi uguali». Queste annotazioni, già imprecise quando Jay le formulò, poco dopo il 1780, sono state completamente falsificate nel corso dell'Ottocento. L'immigrazione di massa ha trasformato gli Stati Uniti in una terra dalle caratteristiche opposte: molteplicità di antenati e pluralità di lingue, di religioni, di maniere e di costumi. Da allora gli unici legami stabili e comuni degli americani sono diventati i princìpi politici e le massime della tolleranza. A fissare i limiti e a porre le basi del pluralismo americano sono democrazia e libertà.

La tipologia dei regimi che ho precedentemente proposto può aiutarci a cogliere il carattere radicale di questo pluralismo. Consideriamo, per cominciare, la (relativa) omogeneità di stati nazionali come Francia, Olanda, Norvegia, Germania, Giappone e Cina, dove, a dispetto di tutte le possibili differenze regionali, la grande maggioranza dei cittadini ha in comune un'unica identità etnica e celebra una storia comune. E pensiamo, in secondo luogo, all'eterogeneità a base territoriale degli antichi imperi multinazionali, nonché a quella degli stati che possono considerarsene gli eredi contemporanei – ex Jugoslavia, nuova Etiopia, nuova Russia, Nigeria, Iraq, India e così via – in cui numerose minoranze etniche e religiose reclamano i propri antichi territori (anche se i loro confini sono oggetto di continue discussioni). Ebbene, gli Stati Uniti sono diversi da entrambi questi tipi di paesi: non sono omogenei né su scala nazionale né su scala locale, ma eterogenei da entrambi i punti di vista; come terra dalla varietà frammentata, essi non sono patria di nessuno (se non dei pochi americani nativi rimasti). Naturalmente ci sono modelli locali di segregazione, sia volontaria che involontaria; ci sono zone o quartieri riservati a un'etnia che vengono chiamati in modo inesatto ma indubbiamente evocativo «ghetti». Tuttavia nessuno dei nostri gruppi, a parte l'eccezione temporanea e parziale dei mormoni dello Utah, ha mai conseguito uno stabile predominio geografico. Una Slovenia, un Québec o un Kurdistan americani non esistono. Gli americani fanno quotidianamente esperienza della differenza anche negli ambienti più protetti.

Eppure, l'articolazione generalizzata e intensa della differenza negli Stati Uniti è un fenomeno recente. Una lunga storia di pregiudizi, di subordinazione e di paura ha impedito ogni affermazione pubblica di «modi e costumi» delle minoranze e quindi ha avuto l'effetto di eclissare il carattere radicale del pluralismo americano. Al riguardo voglio essere molto chiaro. Inizialmente, come dimostrano l'annientamento dei popoli originari dell'America e la tratta degli schiavi neri, questa storia è stata brutale; in seguito è diventata relativamente mite e benevola non tanto verso le altre razze, quanto verso le altre religioni e le altre etnie. Come società di immigrati, gli Stati Uniti hanno accolto i nuovi venuti o almeno hanno consentito loro di entrare; hanno tollerato le loro credenze e le loro pratiche oppo-

nendo resistenze molto inferiori a quelle normalmente at-
tivate altrove. Nondimeno, tutte le nostre minoranze hanno imparato a stare in silenzio; fino a tempi molto recenti,
infatti, il silenzio è stato lo stigma della politica delle minoranze. Solo molto lentamente ci si è resi conto appieno
di che cosa significhi vivere tra immigrati.

Ricordo, per esempio, che negli anni Trenta e Quaranta qualsiasi tipo di successo da parte di membri della comunità ebraica – perfino la comparsa di «troppi» nomi
ebrei tra i democratici del New Deal, tra i quadri sindacali o tra gli intellettuali socialisti o comunisti – era accolto tra
gli ebrei con un brivido collettivo. Gli anziani della comunità dicevano: «Sha», ossia non fate rumore; non attirate
l'attenzione; non fatevi avanti; non dite nulla che possa
provocare. Era questo il modo in cui essi interpretavano il
consiglio che il profeta Geremia aveva dato ai primi esuli
in Babilonia, più di due millenni prima, e che, da allora, era
stato spesso ripetuto: «Procurate il bene della città dove io
vi ho fatti deportare» (Geremia 29,7) – cioè siate leali verso i poteri costituiti e mantenete un basso profilo politico.
Gli ebrei immigrati in America continuarono a considerarsi esuli, ospiti (di fatto) degli americani, anche quando
erano divenuti cittadini americani a tutti gli effetti.

Oggi tutto ciò, come si dice, è superato. Alla vigilia del
2000 gli Stati Uniti sono un paese socialmente, se non economicamente, più ugualitario di cinquanta o sessanta anni fa. Il contrasto tra uguaglianza sociale ed economica è
molto importante e io tornerò a occuparmene ben presto;
ora, però, mi interessa mettere a fuoco il versante sociale

dell'uguaglianza. Nessuno ci intimidisce più; nessuno ci impone di tacere. Nella nostra vita pubblica le antiche identità razziali e religiose hanno assunto un rilievo più marcato, e la miscela si è arricchita anche delle preferenze di genere e di sesso; l'ondata migratoria in atto dall'Asia e dall'America Latina, inoltre, propone nuove differenze significative tra cittadini americani e cittadini potenziali. Tutte queste componenti, a quanto sembra, si esprimono continuamente. Le voci sono molto forti, gli accenti vari, e il risultato, tutt'altro che armonico, smentisce la vecchia immagine del pluralismo come sinfonia in cui ogni gruppo suona il proprio strumento (ma chi ha scritto la musica?): è, infatti, una dissonanza stonata. Si ripete lo spettacolo della opposizione protestante dei primi decenni della Riforma, quando le sette si dividevano e si suddividevano e molti profeti e aspiranti profeti parlavano tutti assieme. La centralità della tolleranza come questione politica è attestata dai rumorosi litigi sulla correttezza politica, sull'aggressività verbale, sui curricoli multiculturali, su prima e seconda lingua, sull'immigrazione e così via.

In risposta a questa cacofonia, un altro gruppo di profeti – intellettuali liberali e neoconservatori, accademici e giornalisti – si torcono le mani e ci assicurano che il paese sta andando a pezzi, che il nostro pluralismo riccamente articolato è un pericoloso fermento di divisione e che abbiamo disperatamente bisogno di riaffermare l'egemonia di un'unica cultura. Curiosamente, questa cultura invocata come necessaria e necessariamente unica viene descritta spesso come «alta cultura», quasi che a tenerci uniti in

tutti questi anni fosse stata la nostra comune frequenta-
zione di Shakespeare, Dickens e James Joyce. Di fatto, invece, l'«alta cultura» ci divide; così è sempre stato e così,
probabilmente, sarà anche in futuro, in tutti i paesi con
una forte vena ugualitaria e populista. Come non ricordare al riguardo *Anti-Intellectualism in American Life* di Richard Hofstadter?[1] I movimenti politici che mirano all'u-
nità, lungi dal fare appello al canone letterario o filosofi-
co, con molta probabilità invocheranno un nativismo vol-
gare e inautentico, certamente povero di contenuti culturali. Tuttavia, secondo me, è possibile dare una risposta
migliore al pluralismo: una politica democratica per la
quale tutti i membri di tutti i gruppi sono (in via di principio) cittadini uguali, che devono non solo discutere tra
loro, ma anche, in qualche modo, pervenire a un accordo.
Ciò che essi impareranno nel corso delle necessarie negoziazioni e degli inevitabili compromessi è verosimilmente
più importante di tutto ciò che potrebbero mettere a punto mediante lo studio del canone. Dobbiamo riflettere su
come far progredire questo tipo di apprendimento democratico pratico.

Ma, tenuto conto del fatto che i conflitti multiculturali
esplodono nell'arena democratica e richiedono ai loro
protagonisti una vasta gamma di abilità e di capacità tipi-
che della democrazia, non si può dire che questo apprendimento è già ben avviato? Chi studiasse la storia delle associazioni etniche, razziali e religiose negli Stati Uniti sco-
prirebbe, a mio parere, che esse sono sempre state altrettanti veicoli di integrazione individuale e di gruppo, a di-

spetto (o, forse, a causa) dei conflitti politici cui hanno dato luogo[2]. Anche ammesso che scopo della vita associativa sia quello di sostenere la differenza, tale scopo non può che essere conseguito nel quadro delle condizioni dell'America, e il risultato di solito è un tipo nuovo e imprevisto di differenziazione. Di questo fenomeno ho già ricordato un esempio: la differenziazione dei cattolici e degli ebrei americani non tanto gli uni dagli altri o dalla maggioranza protestante quanto dai cattolici e dagli ebrei di altri paesi. I gruppi di minoranza si adattano alla cultura politica locale: diventano americani con un'identità duale. Anche se obiettivi primari della loro azione sono l'autodifesa, la tolleranza, i diritti civili o un «posto al sole», il risultato del loro successo è ancora, soprattutto, un'americanizzazione delle differenze che hanno difeso.

Lo stesso accade ai «nativi» o ai gruppi di maggioranza, in ugual modo costretti ad adattarsi a un'America piena di stranieri. Immaginando se stessi come gli «americani originari», anch'essi lentamente e dolorosamente «si americanizzano». Con questo non intendo dire che le differenze vengano accettate o difese pacificamente. Irenismo e silenzio non appartengono alle nostre convenzioni politiche. Diventare americani spesso significa imparare a non tacere. Il successo cercato da un gruppo, inoltre, non è sempre compatibile con quello di tutti gli altri (o di un altro qualsiasi). I conflitti sono reali e anche vittorie di poco conto possono rappresentare una minaccia importante. Questo è un punto cruciale: la tolleranza mette fine a persecuzione e paura, ma non è una formula per la creazione dell'armonia sociale. I gruppi che per la prima volta diventano oggetto di tolleranza, essendo realmente diversi, spesso saranno anche antagonistici e cercheranno un vantaggio politico.

Le difficoltà più gravi, comunque, vengono dallo svantaggio e dal fallimento, soprattutto dal fallimento reiterato. Sono la debolezza dell'associazione di cui si fa parte, l'ansia e i risentimenti che essa alimenta, a dividere pericolosamente le persone e a produrre nuove forme di intolleranza e di fanatismo – basti pensare a quelle che si esprimono nelle versioni più intransigenti e puritane della «correttezza politica» e alle rivendicazioni più inverosimili della mitologia etnica e razziale. Nella nostra cacofonia contemporanea, i gruppi più rumorosi e quelli che avanzano le richieste più estremistiche sono anche i più deboli e i più poveri. Nelle città americane di oggi i poveri, per lo più membri di gruppi di minoranza, trovano difficile lavorare insieme in armonia. L'assistenza reciproca, la tutela culturale e l'autodifesa vengono rumorosamente affermate ma poco praticate. I poveri del nostro tempo non possono contare su istituzioni forti e solide capaci di incanalare le loro energie e di disciplinare i membri meno docili del gruppo. Sono socialmente indifesi e vulnerabili.

Ciò che è avvenuto negli Stati Uniti degli ultimi decenni è una cosa imprevista e preoccupante, ma forse, e in un senso che mi riprometto di chiarire, anche confortante. Il divario economico è aumentato, anche se, nello stesso tempo, si è attenuato quello sociale; le disuguaglianze in termini di reddito e di disponibilità delle risorse oggi sono maggiori di mezzo secolo fa. Tuttavia, nel 20-25 per cento delle persone che costituiscono la fascia sociale più bassa della popolazione queste disparità non producono una «appropriata» consapevolezza, ossia quelle conseguenze mentali della sconfitta che sono la rassegnazione e la deferenza. Non c'è una cultura pervasiva dell'acquiescenza, né esistono più gruppi di persone moralmente disposte a chinare il capo senza lamentarsi come facevano i «poveri rispettabili» di (quella che ci appare) un'epoca lontana. O, se ce ne sono, sono diventati più che mai culturalmente invisibili e politicamente incapaci di esprimersi e di farsi rappresentare. Lo spettacolo è certo molto deprimente: un gran numero di uomini e donne privi di ogni legame, impotenti e spesso scoraggiati, viene difeso da una crescente brigata di demagoghi razziali e religiosi e di tromboni carismatici, che nello stesso tempo li sfrutta. Ma almeno queste persone non tacciono e non si arrendono alla sconfitta, sicché viene da pensare che nell'esercito dei poveri almeno alcuni, in un ambiente politico diverso, sarebbero disponibili per una mobilitazione più promettente.

Tuttavia, l'ambiente politico oggi è quello che è, e a breve termine non lascia spazio a molte speranze. Nell'America attuale il tratto generale, ancorché diseguale, della vita associativa è la debolezza, e qualsiasi programma di rinnovamento politico deve partire da questa realtà. Sindacati, chiese, gruppi di interesse, organizzazioni etniche, partiti politici, sette, società di auto-aiuto e cooperative, istituzioni filantropiche locali, associazioni di quartiere e di volontariato, sodalizi religiosi, confraternite maschili e femminili: la società civile americana offre uno scenario estremamente ricco e vario. Ma per lo più queste associazioni conducono una vita precaria, dispongono di fondi molto scarsi e sono perennemente a rischio; hanno possibilità e poteri di interdizione più limitati che in passato[3]. Il numero degli americani che, sebbene arrabbiati e rumorosi, sono sganciati da ogni organizzazione, inattivi e indifesi va aumentando. Perché?

La risposta ha a che fare in parte con la seconda delle due forze centrifughe operanti nella società americana contemporanea. Questo paese è non solo un pluralismo di gruppi, ma anche un pluralismo di individui; il suo regime di tolleranza, come abbiamo visto, ha come oggetti privilegiati scelte e stili di vita personali, non modi di vita comuni. È forse la società più individualistica della storia dell'uomo. A confronto degli uomini e delle donne di qualsiasi altro paese del vecchio mondo, noi possiamo considerarci tutti quanti radicalmente liberi: abbiamo la facoltà di progettare il nostro avvenire, di programmare la nostra vita, di scegliere una carriera, un partner (o una successione di partner), una religione (o nessuna religione), una politica (o un atteggiamento antipolitico), uno stile di vita (qualsiasi). Insomma, siamo liberi di «seguire le nostre inclinazioni». La libertà personale e le forme radicali di tolleranza che essa comporta sono certamente le conquiste più straordinarie del «nuovo ordine» esaltato dal grande sigillo degli Stati Uniti. La difesa di questa libertà dai puritani e dai fanatici è uno dei temi costanti della politica americana e rappresenta la fonte ispiratrice dei suoi momenti più felici; e la celebrazione di questa libertà, nonché dell'originalità e della creatività che essa consente, rappresenta uno dei motivi ricorrenti della nostra letteratura.

Tuttavia, la libertà personale è ben lungi dall'essersi realizzata compiutamente e pienamente: molti americani non hanno né i mezzi né la possibilità di «seguire le proprie inclinazioni»; a volte, anzi, non sono in grado neppure di scoprire quali esse siano. L'affrancamento da questa condizione il più delle volte è una conquista familiare, comunitaria o di classe, non un traguardo individuale. Per conseguirlo, occorre procedere a un'opera plurigenerazionale di accumulazione cooperativa delle risorse. E, senza risorse, gli individui, uomini o donne che siano, sono inevitabilmente preda degli imprevisti economici, dei disastri naturali, delle vicissitudini della politica e delle crisi personali. Molti di essi convivono quotidianamente con le frustrazioni prodotte dai loro fallimenti, né possono contare su un sostegno familiare o comunitario costante e significativo. Spesso tentano di sottrarsi alla famiglia, alla classe e alla comunità e cercano un'esistenza nuova e una nuova identità in questo nuovo mondo. Quando la loro fuga riesce, non si voltano mai a guardare indietro; e, nel caso in cui avvertissero il bisogno di farlo, scoprirebbero probabilmente che le persone da cui si sono allontanati riescono a mala pena a sostenere se stesse. Queste sono le emozioni della postmodernità, che, tuttavia, preludono spesso a una vicenda triste – o meglio a una serie di vicende tristi, analoghe ma reciprocamente indipendenti.

Si pensi per un momento ai gruppi culturali (etnici, razziali e religiosi) che alimentano il nostro multiculturalismo apparentemente così tenace e frammentato. Essi sono tutte associazioni di volontariato, formate da un nucleo centrale di militanti, attivisti e credenti e da una vasta periferia di donne e uomini più passivi, che sono in effetti dei *free-riders*[4] culturali. Queste persone pretendono un'identità (o più identità) senza pagare nessun prezzo per averla: né in termini di denaro, né di tempo, né di energie. Quando si trovano in difficoltà, chiedono aiuto agli uomini e alle donne che hanno la loro stessa identità – ma con risultati incerti, giacché tale identità, non essendo frutto di una reale conquista, è superficiale e priva di radici. I battitori liberi non sono mai membri affidabili di un gruppo. Il nostro gruppo culturale non è definito da confini, né è presidiato dalla polizia di frontiera. Uomini e donne sono liberi di prendervi parte o no, di andare e venire, di allontanarsene definitivamente o semplicemente di eclissarsi in qualche zona periferica. Hanno la facoltà di mescolarsi a culture diverse, di esplorare e di cercare di forzare tutti i confini. Questa libertà, lo ripeto, è uno dei vantaggi della società di immigrati – ma certo non favorisce la creazione di associazioni forti e compatte. In ultima analisi, non sono certo che possa creare individui forti e sicuri di sé.

Ai nostri giorni, i casi di disimpegno dalla propria identità e dall'associazione culturale di appartenenza in vista della ricerca privata della felicità (o del perseguimento disperato della sopravvivenza economica) sono così frequenti che tutti i gruppi stanno chiedendosi come mantenere legata a sé la propria periferia e assicurarsi il proprio futuro. Sono continuamente impegnati a raccogliere fondi, a reclutare persone, a contendersi lavoratori, alleati e sottoscrizioni, a mettere in guardia contro i pericoli dell'assimilazione, dei matrimoni misti, della cancellazione o della passività. Privi di ogni tipo di potere coercitivo e insicuri delle proprie capacità di persuasione, alcuni di questi gruppi chiedono programmi governativi (attribuzione selettiva dei titoli o sistemi delle quote) che li aiutino a rafforzare l'appartenenza dei propri membri al gruppo. Dal loro punto di vista, l'alternativa reale alla tolleranza multiculturale non è un americanismo forte e sostanziale (quasi che l'America fosse uno stato nazionale del vecchio mondo), ma un individualismo vuoto o riempito a caso, un grande cumulo di relitti e di rifiuti umani lontani da ogni centro creativo.

Questa visione della libertà individuale in una società di immigrati, per quanto ancora una volta unilaterale, non è interamente sbagliata. A dispetto delle apparenze, il conflitto più grave nella vita americana di oggi non è tra multiculturalismo e un qualche tipo di egemonia culturale né tra pluralismo e unità o, se si preferisce, tra molti e uno. Al contrario noi conviviamo con il conflitto tipico della modernità e della postmodernità, quello tra molteplicità dei gruppi e molteplicità degli individui. Conflitto in cui non abbiamo altra scelta che di affermare il valore di entrambe le alternative. I due pluralismi fanno dell'America ciò che essa (talvolta) è, e definiscono il paradigma di ciò che dovrebbe essere. Se considerati globalmente, ma solo in questo caso, essi sono del tutto in armonia con una comune cittadinanza democratica.

Consideriamo ora gli individui sempre più dissociati della società americana contemporanea. Una cosa di cui certamente dobbiamo preoccuparci sono i processi che producono dissociazione e ne discendono (sebbene talvolta essi abbiano anche la funzione di promuovere l'emancipazione), come ad esempio[5]:

– l'elevata frequenza dei divorzi che ha continuato a salire fino a poco tempo fa, quando è sembrata stabilizzarsi;

– il numero tuttora crescente dei bambini allevati da madri sole e spesso molto giovani;

– l'aumento recente dei casi di abuso infantile e di abbandono;

– il numero crescente di persone che vivono da sole (costituendo quella che viene chiamata «famiglia formata da una persona»);

– il tramonto dell'appartenenza: ai sindacati, alle chiese tradizionali più stabili (anche se chiese evangeliche e sette sono in aumento), a società filantropiche, ad associazioni genitori-insegnanti e a club di quartiere;

– il declino a lungo termine della partecipazione al voto e il venir meno della lealtà al partito (cosa vistosamente evidente nelle elezioni locali);

– il tasso elevato di mobilità geografica che taglia alle radici la coesione dei gruppi di quartiere;

– l'improvvisa comparsa di senza tetto dell'uno e dell'altro sesso;

– la marea montante della violenza gratuita.

L'apparente stabilizzazione di livelli elevati di disoccupazione e di sotto-impiego tra i giovani e i gruppi di minoranza accentua tutti questi processi e ne aggrava gli effetti. La disoccupazione rende fragili i legami familiari, isola le persone dai sindacati e dai gruppi di interesse, drena le risorse della comunità, promuove alienazione e marginalizzazione politica, aumenta la tentazione di optare per una vita criminale. La vecchia massima secondo cui l'ozio è il padre di tutti i vizi non è necessariamente vera, ma lo diventa quando l'ozio non è una condizione liberamente scelta.

Personalmente sono orientato a pensare che questi processi, tutto sommato, siano più preoccupanti della cacofonia prodotta dal multiculturalismo – se non altro perché in una società democratica l'azione collettiva è meglio della marginalità e della solitudine, l'agitazione è meglio della passività e la collaborazione a scopi comuni (anche quando personalmente non li approviamo) è meglio dell'indifferenza privata. Probabilmente, inoltre, è vero che molti di questi individui dissociati sono disponibili per mobilitazioni di estrema destra, ultranazionalistiche, fondamentalistiche o xenofobe, che le democrazie nei limiti del possibile devono scongiurare. Naturalmente, secondo certi autori contemporanei il multiculturalismo è anch'esso il prodotto di mobilitazioni di questo tipo; ai loro occhi la società americana è sull'orlo non solo della dissoluzione, ma anche di una guerra civile di stampo «bosniaco»[6]. In realtà, finora abbiamo avuto solo qualche vago segnale di una politica apertamente sciovinistica e razzistica. Gli americani che praticano culti religiosi anomali sono più di quelli che aderiscono a gruppi politici di estrema destra (anche se le due cose a volte coincidono). Al punto in cui siamo, possiamo ancora far leva sul pluralismo dei gruppi per porre rimedio al pluralismo degli individui dissociati.

Gli individui sono più forti, più fiduciosi e più saggi, quando partecipano a una vita comune, quando sono responsabili di altre persone e verso altre persone. Naturalmente questa relazione non vale per ogni tipo di vita comune. Non è certo mia intenzione raccomandare l'adesione a culti religiosi strani, sebbene anche questi debbano essere tollerati entro i limiti posti dalle nostre idee in tema di cittadinanza e di diritti individuali. Forse gli uomini e le donne che riusciranno a portare a termine un'esperienza di vita in questi gruppi ne risulteranno rafforzati ed educati a una vita comunitaria più pacata, giacché è solo nel contesto dell'attività associativa che gli individui imparano a deliberare, ad argomentare, a prendere decisioni e ad assumersi responsabilità. Questo è un vecchio argomento avanzato per la prima volta dalle congregazioni e conventicole protestanti che, a quanto si è detto, nella Gran Bretagna dell'Ottocento sarebbero state scuole di democrazia a dispetto del fatto di aver creato legami forti ed esclusivi e di avere frequentemente avanzato dei dubbi sulla salvezza dei non credenti[7]. In effetti l'appartenenza a tali congregazioni ha salvato queste persone – dall'isolamento, dalla solitudine, dal senso di inferiorità, dall'inerzia abituale, dall'incompetenza e da una sorta di vacanza morale – e ne ha fatto dei cittadini utili. Ma, naturalmente, è altrettanto vero che il forte individualismo di questi stessi cittadini utili ha salvato la Gran Bretagna dalla repressione protestante – ciò che costituisce una componente importante della loro utilità.

Tuttavia un regime di tolleranza non può poggiare solo su questi individui «forti»; essi, infatti, sono prodotti della vita di gruppo e, per sé soli, non riprodurranno i legami che hanno reso possibile la loro forza. Perciò occorre che noi sosteniamo e favoriamo i legami associativi, anche se essi non uniscono ciascuno di noi a tutti gli altri, ma solo alcuni di noi ad alcuni altri. Ci sono molti modi per farlo. Il primo e più importante è rappresentato dalle politiche governative intese a creare posti di lavoro e a promuovere la sindacalizzazione dei lavoratori. La disoccupazione, infatti, è probabilmente la forma più dannosa di dissociazione, e i sindacati sono non soltanto palestre di democrazia, ma anche strumenti di «potere controbilanciante» in campo economico, nonché di solidarietà locale e di mutuo soccorso[8]. Pressoché altrettanto importanti sono i programmi di rafforzamento della vita familiare sia nelle sue forme convenzionali che in quelle non convenzionali – cioè in ogni forma che sia atta a produrre relazioni e reti di sostegno stabili.

Ma qui desidero tornare a porre al centro dell'attenzione le associazioni culturali, in ragione del fatto che oggi esse vengono considerate così minacciose. Ebbene, a mio parere è la debolezza di queste associazioni, non la loro forza, a minacciare la nostra vita comune. Una ragione del declino dei sindacati nell'America contemporanea è la

virtuale scomparsa di una specifica cultura della classe la-
voratrice, o meglio di tutto un insieme di culture operaie
(irlandese, italiana, slava, scandinava e così via), che hanno reso possibile il radicalismo socialista di fine Ottocento e inizio Novecento. Per lavorare insieme, per un lungo
periodo di tempo, uomini e donne hanno bisogno dei legami creati dalla lingua e dalla memoria, dai riti familiari
delle celebrazioni e dei lutti, dalle pratiche comuni e perfino dai giochi e dalle canzoni collettive. Ai cittadini globalmente considerati la religione civile fornisce alcuni di
questi legami, ma la vitalità e la disciplina di una società di
immigrati dipendono dai legami più stretti posti in essere
dai gruppi che la costituiscono. Perciò abbiamo bisogno
di avere associazioni culturali non solo più numerose, ma
anche più forti, più unite e dotate di una gamma di responsabilità più vasta.

Nelle società di immigrati le associazioni di questo tipo
non sono oggetto di tolleranza, ma possono costituire l'oggetto – o meglio il fine – della politica del governo. Si pensi, per esempio, ai programmi federali attuali – compresi
quelli concernenti esenzioni fiscali, contributi finanziari,
sussidi e benefici – che consentono alle comunità religiose di gestire ospedali, ricoveri per anziani, ambulatori,
scuole e servizi alle famiglie. Si tratta di servizi sociali operanti all'interno di uno stato sociale americano decentrato
(e ancora incompiuto). Il denaro delle tasse viene usato
per contributi che hanno lo scopo di migliorare i modelli
dell'assistenza e della riproduzione culturale all'interno
della società civile. Sennonché questi modelli richiedono

un'applicazione molto più estesa, poiché oggi coprono il territorio del paese in modo del tutto diseguale. A questo scopo occorre che alla fornitura dei servizi si dedichi un numero sempre più elevato di gruppi, non solo razziali ed etnici, ma anche religiosi (e, perché no?, sindacali, cooperativi e aziendali).

Inoltre, abbiamo bisogno di definire altri programmi mediante i quali il governo indirettamente intervenga a favore dei cittadini operanti in particolari iniziative delle comunità locali: «scuole convenzionate» progettate e governate da insegnanti e genitori, autogestione dei locatari e cooperative di acquisto in blocco di edilizia abitativa pubblica, esperimenti di acquisizione della proprietà e di controllo di fabbriche e aziende da parte degli addetti, progetti locali di costruzione, nonché di repressione e di prevenzione del crimine, musei di interesse locale, centri di ritrovo per la gioventù, stazioni radio e società sportive. Molto spesso programmi di questo tipo generano o potenziano comunità particolari, le quali, a loro volta, entrano in conflitto tra loro per la destinazione del budget statale e per il controllo dello spazio politico e delle funzioni istituzionali. La tolleranza, vale la pena di ricordarlo, non è una formula che assicuri l'armonia: legittimando gruppi precedentemente repressi o invisibili, essa consente loro di competere per assicurarsi le risorse disponibili. Ma la formazione di un numero così elevato di gruppi è destinata anche ad allargare lo spazio politico, a elevare il numero e la gamma delle funzioni istituzionali, e anche ad accrescere le opportunità di partecipazione individuale.

E l'esistenza di individui decisi a partecipare e sempre più consapevoli del proprio peso è la nostra miglior difesa dalla chiusura e dall'intolleranza dei gruppi di cui fanno parte.

Gli uomini e le donne impegnati tendono a operare su molti fronti e a esplicare la propria attività in molte associazioni diverse sia locali che nazionali. Questa è una delle constatazioni più comuni degli studiosi del costume politico e della sociologia (e anche una delle più sorprendenti: dov'è che trovano il tempo queste persone?)[9]. Una circostanza simile ci aiuta a spiegare perché in una società pluralistica l'impegno della gente abbia l'effetto di sradicare ideologie e prese di posizione razzistiche o sciovinistiche. Le stesse persone, infatti, partecipano a riunioni sindacali, a progetti di quartiere, a iniziative di propaganda politica, a comitati di carattere religioso e – con maggiore affidabilità degli altri – alle elezioni politiche. E per lo più esse sono colte, decise, abili, sicure di sé e costanti nelle proprie idee. Una misteriosa combinazione di responsabilità, di ambizione e di presenzialismo le spinge a passare da una riunione all'altra. Ognuna (ma lo fanno tutte) lamenta che di cittadini come loro ce ne sono troppo pochi. Il fatto che si tratti di una categoria molto ristretta è una fatalità della vita sociale: un aumento del numero delle associazioni comporterebbe il diradarsi delle presenze più competenti e significative? Personalmente, sospetto che gli economisti abbiano una storia più convincente da raccontare al riguardo di questo «capitale umano»: moltiplicate le richieste di persone competenti e queste si faranno avanti. Moltiplicate le opportunità di azione comune e gli attivisti non mancheranno di presentarsi a coglierle. Alcuni, naturalmente, saranno di mentalità ristretta e bigotta, interessati solo al progresso del loro gruppo, ma quanto più aumenterà il loro numero e si arricchirà la gamma delle loro attività, tanto più sarà improbabile che angustia di orizzonti e fanatismo prevalgano.

Una certa dissonanza costituisce la caratteristica di questa condizione che un giorno potremmo arrivare a considerare una forma di multiculturalismo *primitivo*; essa è particolarmente evidente tra i gruppi di più recente integrazione e più deboli, tra i più poveri e i meno organizzati, in cui la deprivazione economica si accompagna regolarmente allo status di minoranza – dove in larga misura, se non interamente, la classe è una funzione di razza e cultura. Questa dissonanza è il prodotto di un periodo storico in cui l'uguaglianza sociale promessa (e in parte assicurata) dal nostro regime di tolleranza è stata costantemente impedita dalla disuguaglianza economica.

Le organizzazioni più forti, capaci di raccogliere risorse e di assegnare benefici reali ai propri membri, gradualmente porteranno questi gruppi alla tolleranza reciproca e a una politica priva di ogni chiusura antidemocratica. Indubbiamente tra membri e cittadini, tra interessi particolari e interesse comune, c'è tensione, ma c'è anche continuità reale. I cittadini che si impegnano per l'interesse comune non vengono dal nulla. Sono membri di gruppi che si sentono legati alle sorti della comunità di appartenenza: innanzitutto a quelle dello stesso regime di tolleranza e poi a quelle della politica più generale del paese. È per questo che aspirano a partecipare alle decisioni della nazione.

Si ricorderà che questo è accaduto già in precedenza nel corso dei conflitti etnici e di classe. Quando i gruppi si consolidano, il centro trattiene la periferia e ne fa il proprio elettorato politico. Così i militanti sindacali, per esempio, cominciano la propria carriera nei picchetti e nei comitati di scioperanti, per passare poi agli organi di gestione della scuola e al consiglio comunale. Dal canto loro, gli attivisti religiosi ed etnici cominciano col difendere gli interessi della propria comunità e finiscono per far parte di coalizioni politiche impegnate a combattere per un posto in liste elettorali «equilibrate» e a parlare (almeno) del bene comune. L'unità del gruppo dà forza ai suoi membri, e l'ambizione e la mobilità dei membri più vigorosi rappresentano una forma di liberalizzazione dell'intero gruppo.

Alcuni di questi abbandoneranno il proprio gruppo, entreranno in altri o intraprenderanno complesse carriere interculturali, coglieranno al volo le opportunità di dissociazione e di integrazione, perseguiranno i propri interessi materiali o spirituali, operando come individui radicalmente liberi. Ma se agiranno come espressione della forza del gruppo di appartenenza, saranno anche agenti di innovazione culturale e di reciproco arricchimento conoscitivo. I «vagabondi» postmoderni, quando non si sostituiscono ai membri e ai cittadini, ma vivono accanto a loro, difficilmente si trovano a parlare solo a se stessi, perennemente assorbiti dalla propria soggettività; al contrario contribuiscono ad alimentare conversazioni interessanti.

Queste conversazioni devono avvenire dovunque, ma, forse, in particolar modo (oltre che nei *colleges* e nelle università pubbliche e private) nelle scuole pubbliche: queste, infatti, almeno nei principali centri di immigrazione, possono vantare una tradizione storica di accoglienza e di integrazione. Le scuole pubbliche fanno convivere i figli di genitori appartenenti a religioni e comunità etniche diverse – e anche i figli di genitori che si sono sottratti o stanno sottraendosi a queste appartenenze. Data la loro professata neutralità nei confronti delle varie comunità e di coloro che le hanno abbandonate, le scuole devono presentare una visione benevola della storia e della filosofia del nostro regime di tolleranza, anche se sarà loro difficile evitare di specificarne le particolari origini (nell'Inghilterra protestante). Devono insegnare la religione civile americana e cercare di formare dei cittadini americani; in tal modo la loro opera inevitabilmente rappresenterà una sfida per tutte le comunità culturali che non hanno familiarità con questo tipo di cittadinanza.

Chiediamoci ora: le scuole pubbliche possono limitarsi a questo o devono fare di più? Rientra nei loro compiti aiutare i giovani a sottrarsi a queste comunità e stimolarli a muoversi in autonomia all'interno del mondo culturale? Devono cercare di creare più «vagabondi»? Certamente è affascinante l'idea che l'educazione democratica sia un tirocinio al pensiero critico e che gli studenti siano in grado di intraprendere una valutazione autonoma, preferibil-

mente scettica, di tutte le pratiche culturali e di tutti i sistemi di credenze stabiliti. I critici non sono forse i cittadini migliori?[10] Può darsi; e in ogni caso noi abbiamo bisogno di averne molti. Tuttavia è possibile che essi non siano
i concittadini più tolleranti, né rassegnati o indifferenti alle lealtà particolaristiche, e nemmeno stoicamente disposti
ad accettarle. Le democrazie hanno bisogno di critici che
abbiano la virtù della tolleranza – ossia, probabilmente, di
critici dotati di lealtà proprie e sensibili al valore della vita
associativa. Le scuole possono aiutare a soddisfare questa
esigenza semplicemente riconoscendo la pluralità delle
culture e facendo conoscere i vari gruppi (anche solo a livello acritico: sarà poi l'esperienza della differenza a incoraggiare lo scambio critico). Il sistema statale, infatti, deve
avere anche un secondo obiettivo, interamente compatibile con il primo: formare cittadini con identità duale, uomini e donne decisi a difendere la tolleranza nelle proprie comunità, ma nello stesso tempo orientati ad apprezzare e a
riprodurre le differenze (sia pure non senza ripensamenti
e revisioni).

Non voglio passare per un inguaribile ottimista. A risultati del genere non giungeremo certo per caso; forse, anzi, non ci arriveremo affatto. Oggi tutto sembra più difficile: famiglia, classe sociale e comunità sono meno compatte di un tempo; governi e associazioni filantropiche dispongono di risorse più limitate; il mondo del crimine e
della droga è più spaventoso; gli individui, uomini o donne che siano, sembrano andare alla deriva. C'è poi un'ulteriore difficoltà, a cui tuttavia dobbiamo guardare con fa-

vore. In passato, difatti, gruppi organizzati sono riusciti a entrare nella società americana tradizionale solo lasciando dietro di sé altri gruppi (nonché i loro stessi membri più deboli). E gli uomini e le donne abbandonati hanno di solito accettato il loro destino o almeno hanno evitato ogni clamore sul loro caso. Oggi, come ho rilevato, il grado di rassegnazione è notevolmente più modesto e il rumore che circonda questi eventi, per quanto incoerente e futile, serve nondimeno a ricordare a tutti noi che ci sono obiettivi sociali ben più importanti del nostro successo. Come ideologia, il multiculturalismo è un programma di promozione dell'uguaglianza economica e sociale. In una società di immigrati pluralistica, moderna e postmoderna, un regime di tolleranza non può funzionare stabilmente se non in presenza di una qualche combinazione di queste due linee di azione: difesa delle differenze di gruppo e lotta alle differenze di classe.

Se vogliamo che il reciproco rafforzamento della comunità e dell'individualità serva a un interesse comune, dobbiamo studiare una linea politica che valga a metterlo in atto. Esso esige una situazione di fondo o condizioni generali che solo l'azione dello stato è in grado di porre in essere. La vita di gruppo non varrà a riscattare gli individui, uomini e donne, dalla dissociazione e dalla passività se non in presenza di una strategia politica capace di mobilitare, organizzare e, se necessario, finanziare il tipo di gruppo funzionale allo scopo. Gli individui determinati e ambiziosi non diversificheranno le loro prese di posizione né estenderanno le loro ambizioni se non a condizione che il

mondo offra loro delle opportunità – in termini di impieghi, uffici e responsabilità. Le forze centrifughe della cultura e dell'individualità personale si correggeranno reciprocamente solo se la correzione sarà programmata e mi-
rerà alla realizzazione di una condizione di equilibrio tra di
esse. Ciò significa che non possiamo mai né atteggiarci a difensori radicali del multiculturalismo o dell'individualismo, né essere semplicemente comunitaristi o liberali, mo-
dernisti o postmodernisti; dobbiamo essere, al contrario,
ora una cosa ora l'altra, a seconda delle circostanze legate
alla ricerca dell'equilibrio. Mi sembra che il termine migliore per indicare il giusto equilibrio – il credo politico
che difende la struttura generale di fondo, che sostiene le
forme necessarie di azione statale e tutela i moderni regimi
di tolleranza – sia quello del socialismo democratico. Se il
multiculturalismo oggi produce più preoccupazioni che
speranze, lo si deve in parte alla debolezza del socialismo
democratico (cioè a quello che nel mio paese verrebbe
chiamato liberalismo di sinistra). Ma questa è una storia diversa e più lunga.

Note

Introduzione

¹ Personalmente ho criticato questo approccio in *A critique of philosophical conversation*, in Michael Kelly (a cura di), *Hermeneutics and Critical Theory in Ethics and Politics*, MIT Press, Cambridge (Mass.) 1990, pp. 182-96. Cfr. Georgia Warnke, *Reply*, ivi, pp. 197-203, dove viene elaborata una parziale difesa della teoria di Jürgen Habermas.

² Thomas Scanlon illustra l'importanza di queste affermazioni in *Contrattualismo e utilitarismo*, in Amartya Sen e Bernard Williams (a cura di), *Utilitarismo e oltre*, trad. it., Il Saggiatore, Milano 1984, pp. 133-64, specialmente pp. 136-37.

³ Stuart Hampshire, *Morality and Conflict*, Harvard University Press, Cambridge 1983, pp. 146-48.

⁴ Per ragioni di utilità, elenco fin d'ora alcuni contributi a questo dibattito di cui mi sono servito nella mia discussione: John Higham, *Strangers in the Land: Patterns of American Nativism 1860-1925*, Rutgers University Press, New Brunswick (N.J.) 1988; Orlando Patterson, *Ethnic Chauvinism: The Reactionary Impulse*, Stein and Day, New York 1977; Stephen Steinberg, *The Ethnic Myth: Race, Ethnicity, and Class in America*, Beacon, Boston 1981; Arthur M. Schlesinger Jr., *La disunione dell'America*, trad. it., Diabasis, Reggio Emilia 1995; David Hollinger, *Postethnic America*, Basic Books, New York 1995; Todd Gitlin, *The Twilight of Common Dreams*, Henry Holt, New York 1995; Charles Taylor, *Multiculturalismo. La politica del riconoscimento*, trad. it., Anabasi, Milano 1993. Mi sento molto vicino alla posizione di Taylor e la sua difesa della «diversità profonda» in Canada è stata molto importante anche per la mia riflessione sugli Stati Uniti.

Capitolo primo

[1] Joseph Raz, *Multiculturalism. A liberal perspective*, in «Dissent», inverno 1994, pp. 67-79.

[2] Questa sazietà e i calcoli prudenziali che essa consente trovano la loro migliore esemplificazione nei *politiques* francesi del Cinquecento: cfr. il breve resoconto che ne offre Quentin Skinner, *Le origini del pensiero politico moderno*, vol. 2, *L'età della Riforma*, trad. it., Il Mulino, Bologna 1989, pp. 246 sgg. e pp. 501-14.

[3] Molti filosofi sono orientati a usare il termine tolleranza solo per questo atteggiamento; in tal modo essi adottano un'accezione che corrisponde a certi usi della parola e associa a essa l'idea che comunemente la pratica della tolleranza si accompagna a una certa riluttanza. Questa interpretazione, però, trascura completamente l'entusiasmo di molti profeti della tolleranza. Cfr. David Heyd (a cura di), *Toleration: An Elusive Virtue*, Princeton University Press, Princeton (N.J.) 1996, specialmente l'introduzione di Heyd e il saggio di apertura di Bernard Williams.

[4] Per un'analisi storica di questi atteggiamenti, cfr. Wilbur K. Jordan, *The Development of Religious Toleration in England*, 4 voll., Cambridge University Press, Cambridge 1932-40.

Capitolo secondo

[1] I primi esempi di quella che sarebbe diventata la disciplina accademica dell'antropologia sono gli scritti dei funzionari imperiali; si pensi, per esempio, alla carriera e alle opere di un amministratore come Tacito nella descrizione che ne è stata data da Moses Hadas nella sua introduzione a *The Complete Works of Tacitus*, Modern Library, New York 1942.

[2] In realtà il cosmopolitismo imperiale è stato riprodotto anche in molte città più piccole, in centri locali come Rustschuk (Ruse), il porto danubiano in Bulgaria dove crebbe Elias Canetti: durante il dominio degli ottomani, Rustschuk divenne una città multiculturale, abitata da bulgari, ebrei, greci, albanesi, armeni e gitani. Cfr. la descrizione che ne offre Elias Canetti, *La lingua salvata*, trad. it., Adelphi, Milano 1991.

[3] Qui le mie fonti sono specialmente Peter Marshall Fraser, *Ptolemaic Alexandria*, 3 voll., Oxford University Press, Oxford 1972, specialmente vol. 1, cap. 2; e Victor Tcherikover, *Hellenistic Civilization and the Jews*, trad. ingl., Atheneum, New York 1979, specialmente parte 2, cap. 2.

[4] Cfr., per l'aspetto storico, Benjamin Braude e Bernard Lewis (a cura di), *Christians and Jews in the Ottoman Empire: The Functioning of a Plural Society*, vol. 1, *The Central Lands*, Holmes and Meier, New York

1982; e, come illustrazione teorica del sistema dei *millet*, «a dimostrazione del fatto che i diritti individuali non sono il solo modo di rendere possibile il pluralismo religioso», Will Kymlicka, *Two models of pluralism and tolerance*, in Heyd (a cura di), *Toleration: An Elusive Virtue*, cit., pp. 81-105.

[5] Sulla collocazione di tali limiti, cfr. la mia discussione con David Luban in Charles Beitz, Marshall Cohen, Thomas Scanlon e A. John Simmons (a cura di), *International Ethics*, Princeton University Press, Princeton (N.J.) 1985, pp. 165-243.

[6] Questi esempi di intolleranza disgiunta dall'intervento armato mi sono stati suggeriti da John Rawls.

[7] Cfr. Arend Lijphart, *Democracy in Plural Societies: A Comparative Exploration*, Yale University Press, New Haven 1977.

[8] Sugli ebrei tedeschi, ossia su una tipica minoranza, cfr. Hans Israel Bach, *The German Jew: A Synthesis of Judaism and Western Civilization, 1730-1930*, Oxford University Press, Oxford 1984; e Donald L. Niewyk, *The Jews in Weimar Germany*, Louisiana State University Press, Baton Rouge 1980. •

[9] Questo è l'argomento elaborato in Will Kymlicka, *Multicultural Citizenship*, Oxford University Press, New York 1995, dove viene applicato espressamente alle minoranze conquistate, per esempio alle società aborigene del nuovo mondo. Per ragioni che mi riprometto di illustrare sulla scia di Kymlicka nel paragrafo successivo, in via di principio esso vale per ogni gruppo stabile di minoranza a base territoriale, ma non per gruppi di immigrati.

[10] Questa citazione e la precedente sono tratte da Patrick Thornberry, *International Law and the Rights of Minorities*, Oxford University Press, Oxford 1991; si veda in particolare la sua discussione dei trattati, pp. 132-37.

[11] Qui adotto come situazione esemplare di riferimento gli Stati Uniti e come guida alla politica americana dell'immigrazione Higham, *Strangers in the Land* cit., e Id., *Send These to Me: Jews and Other Immigrants in Urban America*, Atheneum, New York 1975. Un'altra fonte delle mie riflessioni è rappresentata dagli articoli e dai saggi raccolti in Stephan Thernstrom (a cura di), *Harvard Encyclopedia of American Ethnic Groups*, Harvard University Press, Cambridge (Mass.) 1980; nonché dai miei studi sul pluralismo americano, in particolare *Che cosa significa essere americani*, trad. it., Marsilio, Venezia 1992, e naturalmente dalla mia personale esperienza di questo pluralismo.

[12] Devo questi esempi a Clifford Geertz.

Capitolo terzo

[1] Cfr. William Rogers Brubaker (a cura di), *Immigration and the Politics of Citizenship in Europe and North America*, University Press of America, Lanham 1989, p. 7.

[2] La storia in realtà è molto più complessa di quanto non traspaia dal mio breve resoconto. Per un'esposizione eccellente, cfr. William Rogers Brubaker, *Citizenship and Nationhood in France and Germany*, Harvard University Press, Cambridge (Mass.) 1992.

[3] Per un'analisi del dibattito, cfr. Gary Kates, *Jews into Frenchmen: Nationality and representation in revolutionary France*, in «Social Research», primavera 1989, p. 229.

[4] Jean-Paul Sartre, *L'antisemitismo. Riflessioni sulla questione ebraica*, trad. it., Mondadori, Milano 1990, p. 65.

[5] Il termine «francesizzazione» ricorre invece nel dibattito attualmente in corso nel Québec.

[6] Per un'utile spiegazione di alcune di queste tensioni, cfr. Dan Horowitz e Moshe Lissak, *Trouble in Utopia: The Overburdened Polity of Israel*, State University of New York Press, Albany 1989.

[7] Alex Weingrod, *Palestinian Israelis?*, in «Dissent», estate 1996, pp. 108-10.

[8] James Tully, *Strange Multiplicity: Constitutionalism in an Age of Diversity*, Cambridge University Press, Cambridge 1995, pp. 145-46. Tully elabora un'eccellente presentazione dei dilemmi della tolleranza in Canada e un'energica difesa dei diritti degli abitanti del Québec, specialmente degli aborigeni. Per un utile correttivo liberale più vicino alla mia posizione, cfr. Kymlicka, *Multicultural Citizenship*, cit.

[9] Sulla politica del Canada nei confronti delle etnie, si veda la raccolta di saggi di Charles Taylor, *Reconciling the Solitudes: Essays on Canadian Federalism and Nationalism*, McGill-Queens University Press, Montreal 1993.

[10] Martin Holland, *European Integration: From Community to Union*, Pinter Publishers, London 1994, p. 156. Confronta anche la discussione del tema dei «nuovi diritti sociali in Europa» in Maurice Roche, *Rethinking Citizenship: Welfare, Ideology and Change in Modern Society*, Polity Press, Cambridge 1992, cap. 8.

Capitolo quarto

[1] Cfr. Stephen L. Carter, *The Culture of Disbelief*, Basic Books, New York 1993, p. 96: «la lingua della tolleranza è la lingua del potere».

[2] Si veda il classico romanzo di Ralph Ellison, *L'uomo invisibile*, Einaudi, Torino 1993.

[3] Ai lettori può riuscire utile analizzare un caso che esula dai riferimenti avanzati qui, leggendo Marc Galanter, *Competing Equalities: Law and the Backward Classes in India*, University of California Press, Berkeley 1984. La versione indiana della «discriminazione compensativa» fu espressamente concepita per superare un radicato regime di oppressione e di intolleranza, e Galanter sostiene che lo sforzo di farlo creando una classe di impiegati pubblici tra gli «intoccabili» ha fatto progredire l'India in direzione di questo obiettivo, ma in misura limitata.

[4] Percival Griffiths, *The British Impact on India*, McDonald, London 1952, pp. 222, 224.

[5] Qui seguo la ricostruzione dei fatti elaborata da Bronwyn Winter, *Women, the law, and cultural relativism in France: The case of excision*, in «Signs», estate 1994, pp. 939-74.

[6] Cit. ivi, p. 951, da una petizione redatta da Martine Lefeuvre e pubblicata nel 1989 dal Mouvement Anti-Utilitariste dans les Sciences Sociales (MAUSS).

[7] Ivi, p. 957.

[8] Desidero sottolineare che il mio discorso mira non già a sollecitare una criminalizzazione di queste pratiche, bensì qualche forma di intervento dello stato che valga a scongiurarne il ripetersi. Winter sostiene con dovizia di argomenti la necessità di cercare di rimodellare i processi di riproduzione culturale: educazione degli adulti, consultori medici e così via (ivi, pp. 966-72). Per un altro contributo dalle conclusioni analoghe, cfr. Raphael Cohen-Almagor, *Female circumcision and murder for family honour among minorities in Israel*, in Kirsten E. Schulze, Martin Stokes, Colm Campbell, *Nationalism, Minorities and Diasporas: Identities and Rights in the Middle East*, I.B. Tauris, London 1996, pp. 171-87.

[9] Cfr. la posizione innovativa di Anna Elisabetta Galleoti, *Citizenship and equality: The place for toleration*, in «Political Theory», novembre 1993, pp. 585-605. Le conversazioni che ho avuto con questa autrice sui problemi della tolleranza nell'Europa contemporanea mi sono state molto utili.

[10] Per una critica molto forte (secondo me, troppo forte) di questa soluzione di compromesso, cfr. Ian Shapiro, *Democracy's Place*, Cornell University Press, Ithaca (N.Y.) 1996, cap. 6: «Democratic Autonomy and Religious Freedom: A Critique of Wisconsin v. Yoder» (scritto in collaborazione con Richard Arneson); cfr. anche Amy Gutmann, *Civil education and social diversity*, in «Ethics», aprile 1995, pp. 557-79.

[11] Cfr. la collezione di testi giuridici, discorsi e saggi in Lillian Schlissel (a cura di), *Conscience in America*, E.P. Dutton, New York 1968.

[12] Per un'illustrazione energica e non solo formale delle implicazioni

educative della democrazia liberale, cfr. Amy Gutmann, *Democratic Education*, Princeton University Press, Princeton (N.J.) 1987.

[13] *Il contratto sociale*, trad. it., Mursia, Milano 1983, pp. 123-32, lib. 4, cap. 8. Il merito di aver applicato questo termine alle pratiche religiose civili delle società contemporanee è di Robert Bellah. Cfr., per es., il suo *The Broken Covenant: American Civil Religion in Time of Trial*, Seabury, New York 1975.

[14] Per una visione diversa delle obiezioni fondamentalistiche all'educazione liberale, cfr. Nomi Maya Stolzenberg, *«He drew a circle that shut me out»: Assimilation, indoctrination, and the paradox of liberal education*, in «Harvard Law Review», 1993, pp. 581-667. Il paradosso è senz'altro reale; tuttavia i genitori presentati con tanta simpatia da Stolzenberg, tutti fondamentalisti cristiani, probabilmente esagerano l'influenza delle scuole pubbliche sui loro figli. Nondimeno, in una società liberale, l'obiezione di coscienza da parte di questi genitori e dei loro figli dev'essere un'opzione lecita; cfr. la recensione di Sanford Levinson al libro di Stephen L. Carter, *The Culture of Disbelief*, cit., in «Michigan Law Review», maggio 1994, pp. 1873-92.

[15] L'istituzione della festa del lavoro negli Stati Uniti costituisce un esempio interessante di quello che si può e non si può fare (o di quello che si dovrebbe e non si dovrebbe fare). Il 1° maggio era la festa del movimento sindacale, nonché delle sette e dei partiti alleati con il sindacato; aveva un significato politico particolare che probabilmente lo rendeva inadatto a diventare una ricorrenza nazionale. La data e il nome nuovi della festa [che negli Stati Uniti e in Canada si celebra di settembre, *N.d.T.*] hanno aperto la strada a una celebrazione specifica e non ideologica, non tanto, dunque, delle lavoratrici e dei lavoratori, quanto degli uomini e delle donne.

[16] Si veda l'argomento di Marcuse a favore di limiti molto più radicali, ossia del «ritiro della tolleranza prima dei fatti, allo stadio della comunicazione verbale, nonché di quella tramite la stampa e il cinema» (*La tolleranza repressiva*, in Robert Paul Wolff, Barrington Moore Jr., Herbert Marcuse, *Critica della tolleranza*, trad. it., Einaudi, Torino 1970, pp. 77-105, in particolare p. 100). La posizione di Marcuse discende dalla fiducia straordinaria che egli ha nella propria capacità di riconoscere «le forze dell'emancipazione» e quindi di rifiutare la tolleranza solo ai nemici.

Capitolo quinto

[1] La ben nota tesi di Jean-Paul Sartre che l'antisemitismo è ciò che sostiene l'identità ebraica può riproporsi per molti altri gruppi di minoranza, ma difficilmente potrà essere accettata dai loro membri (special-

mente da quelli più convinti; questi infatti attribuiranno un valore reale alla storia e alla cultura del gruppo e vedranno in questo valore la radice dell'identificazione individuale). Cfr. la mia prefazione a Jean-Paul Sartre, *Anti-Semite and Jew*, Schocken, New York 1995.

² A pronunciare questa frase è un personaggio di una composizione poetica di Robert Frost, *La riparazione del muro*, in *Conoscenza della notte e altre poesie*, trad. it., Einaudi, Torino 1965, pp. 28-31, in particolare p. 29. Il poeta, però, non sottoscrive interamente questa massima.

³ Julia Kristeva, *Nations Without Nationalism*, Columbia University Press, New York 1993, p. 21 e *passim*. Cfr. anche, della stessa autrice, *Stranieri a se stessi*, trad. it., Feltrinelli, Milano 1990.

⁴ Ead., *Nations Without Nationalism*, cit., pp. 35-43.

Epilogo

¹ Knopf, New York 1963.

² Irving Howe formula la stessa osservazione al riguardo delle associazioni politiche di sinistra nel suo libro *Socialism and America*, Harcourt Brace Jovanovich, San Diego 1985, dove spiega come i militanti socialisti diventarono attivisti e funzionari sindacali per poi assumere ruoli di rilievo nelle campagne locali e nazionali del partito democratico. Questa visione del socialismo come «nave scuola» dei partiti e dei movimenti tradizionali, sostiene Howe, non può far piacere ai socialisti. Spesso di fatto entrare nei partiti tradizionali è una scelta dolorosa (cfr. in proposito ivi, pp. 78-81, in particolare p. 141).

³ Questo è l'argomento proposto da Robert Putnam in diversi saggi che (in questo momento) non hanno ancora assunto la forma di libro. Per la verità, ho sentito alcuni critici sostenere che negli Stati Uniti ci sono associazioni in fase di espansione: organizzazioni di vario tipo che assicurano ai loro membri certi servizi (per esempio la American Association of Retired Persons), gruppi terapeutici (come quelli degli Alcolisti anonimi), reti nel ciberspazio e così via. Ma non è chiaro se questi gruppi forniscano agli individui, in vista di un lavoro comune, un'istruzione e una disciplina pari a quelle assicurate da partiti, movimenti e chiese, cioè dalle istituzioni di cui Putnam principalmente si occupa. Cfr. il suo *Bowling alone: America's declining social capital*, in «Journal of Democracy», gennaio 1995, pp. 65-78.

⁴ *Free-rider* è, letteralmente, colui che viaggia su un mezzo pubblico senza pagare il biglietto e, in un più ampio senso figurato, chi usufruisce di un servizio o di un bene pubblico ma si sottrae slealmente al dovere di finanziarlo con il proprio contributo personale. [*N.d.T.*]

⁵ Le informazioni contenute nell'elenco che segue vengono per lo più

dallo U.S. Bureau of the Census, *Statistical Abstract of the United States: 1994*, Washington (D.C.) 1994; cfr. anche Andrew Hacker, *U/S: A Statistical Portrait of the American People*, Viking, New York 1983.

[6] Questo discorso rappresenta un'esagerazione dell'argomento di Schlesinger Jr., *La disunione dell'America*, cit., che però rispecchia molte prese di posizione (per radio e televisione, in editoriali e articoli di giornali, in riviste e così via) seguite alla sua pubblicazione.

[7] Cfr. Alexander Dunlop Lindsay, *The Modern Democratic State*, vol. 1, Oxford University Press, London 1943, cap. 5 (il secondo volume non è mai uscito).

[8] Cfr. John Kenneth Galbraith, *American Capitalism: The Concept of Countervailing Power*, Houghton Mifflin, Boston 1952; Richard B. Freeman e James L. Medoff, *What Do Unions Do?*, Basic Books, New York 1984.

[9] Gabriel A. Almond e Sidney Verba, *The Civic Culture: Political Attitudes and Democracy in Five Nations*, Princeton University Press, Princeton (N.J.) 1963, specialmente cap. 10.

[10] Cfr. l'argomento sviluppato da Gutmann, *Democratic Education*, cit.

Indici

Indice delle cose notevoli

Indice dei nomi

Indice del volume